CW00689970

FORCENÉS

L'Afrique à poings nus, Seuil, 2004.

Philippe Bordas

FORCENÉS

Fayard

ISBN : 978-2-213-63548-4

à Natacha,
depuis toujours.

J'ai vécu au sein d'un poème lyrique,
comme tout possédé.

Pier Paolo Pasolini, *Qui je suis*

Le cyclisme n'est pas un sport.

C'est un genre.

Les genres déclinent et disparaissent, comme les civilisations.

La tragédie classique, l'épopée versifiée ont disparu.

Le cyclisme est mort. En tant que genre est décédé.

Le cyclisme dans sa perfection est abouti. Coppi achève le cyclisme comme Joyce et Faulkner achèvent le roman, dans sa forme minérale complexe. Après quoi viennent les répétitions, les épigones, la dilution.

Le cyclisme prend la mesure du monde dans ses excès ; il exige démesure de l'homme, une tension complète qui touche aux organes et au cerveau. C'est le lieu infernal du maximalisme.

Le cyclisme n'a duré qu'un siècle. Ce qui s'appelle encore cyclisme et se donne en spectacle n'est que farce, artefact à la mesure d'un monde faussé par la pollution, la génétique et le bio-pouvoir.

Je veux donner l'entr'aperçu d'un monde avant sa fin. Passer le chiffon, une dernière fois, dans la Salle des Illustres. Mettre un peu d'ordre parmi mes forcenés, mes champions insensés – renommer les poètes et les irréguliers qui suivent à travers champs.

Rien n'obsède comme ces histoires fabulées, ces portraits amoureux, ces mythologies usinées par le peuple, ces étincelles d'Eurovision. Ce que Benjamin nomme « illuminations profanes ». Ces croyances minimes. Ces noblesses inventées.

Rue du Faubourg-Montmartre

Le crêpier à l'angle du boulevard, un ruban d'effluves – essence et Grand Marnier ; puis c'est la rue du Faubourg-Montmartre, ses aplats d'enseignes, la guerre des lettrages sombres et lumineux.

Laisse le Palace à main droite, à main gauche le cinéma, Bruce Lee ou deux pornos au prix du même ticket.

Avance sous le porche, manteau dans le goulot noir, redis les phrases ; avance vers le soir faible comme toi. Tout s'étrangle sur une cour encombrée de scooters et de suceurs de clopes. Du toit descend une rumeur joyeuse, et des jurons.

Monte les étages, gorge nouée, reprends la biographie, n'oublie pas – murs jaunes, lino troué, l'escalier soviétal –, n'oublie pas le pourquoi misérable de la requête.

Tes pauvres arguments.

Frappe, à quoi bon frapper si nul ne répond ; pousse la porte, cette pâleur souterraine : l'intérieur d'un vaisseau.

Tout s'étrangle et bascule dans le soir plein de crépitements. Une lueur de zinc inonde des bureaux.

Des formes humaines se tiennent raides derrière des claviers, dans des casemates obturées d'affiches et de fanions. Avance sur le paysage. Parmi les collines de journaux s'ouvrent des vallées profondes où vivent des lampes et des troupeaux de cendriers. Salue l'homme sur la droite, un visage italien ; et cet autre, séché – il suspend la frappe et ne salue pas. Va, honteux, de quelle peur, pousse tes vingt-trois ans sur la moquette grise.

C'est alors qu'il apparaît, de dos – royal sous les voûtes de la caverne – la loupiote projetant sur son buste une aura : le maître aperçu en médaillon sur le dos des ouvrages, Pierre Chany, le Tacite du cycle, sous son casque de cheveux blancs, entouré de fumées plus belles, brûlant le soir à deux cendriers – Bouddha dans son autel, cerné par des encens.

Approche la guitoune aux parois mieux vitrées. Là, sous un éclairage supérieur, vit le sosie de Lino Ventura. C'est le chef de rubrique, de la grotte enfumée l'homme le plus rond. Calé en fond de siège, doigts croisés au sternum, Monsieur Leblanc écoute avec la componction du bourgmestre. Il a raison de sourire, la belle requête, moi qui veux entrer à *L'Équipe* le soir même, pourquoi pas, sur la foi de la passion, moi qui connais par cœur *La Fabuleuse Histoire du cyclisme,* celle de Pierre Chany, l'équivalent d'une agrégation.

Monsieur Leblanc abaisse ses mains de catcheur et note mon numéro.

Après de longues semaines, usé par le silence, j'approche du téléphone. Monsieur Leblanc a oublié mon nom et le pamphlet contre Bernard Tapie que j'ai laissé en partant : une fine diatribe de blanc-bec, pour montrer que j'en ai. Voyant que j'en veux, il me met à l'épreuve.

C'est l'hiver.

Ventura a décidé de m'écœurer. Il me donne ma chance. Je calcule les pourcentages de réussite au lancer franc des joueurs de la première division de basket. Je résume des matches de filles. Je pars dans la neige, en GS break, vers Montigny-lès-Cormeilles. Je raconte en neuf lignes des matches de sixième rang. Trois fois la semaine, Ventura m'offre un bureau en face de Chany, enchâssé demi-flou dans le vitrail des plexis.

J'apprends le métier, les fesses collées au skaï, veillant tard, secouant la Japy en espionnant Chany. J'apprends à taper, à deux doigts, aux heures mortes. Ventura part le dernier et passe le relais ; à moi de fermer la taule. Je sors mon *Que sais-je ?* sur le basket.

Je fouine dans les bureaux déserts ; je détaille les murs couverts de photographies, les tympans sublimes où flottent les champions, Coppi, Saronni et Moser aux cheveux diluviés par la pluie. Je m'enivre. Chany laisse derrière lui un bureau impeccable. La femme de ménage arrive avec un sac où partent les cendres de la journée.

C'est l'heure.

Il me faut remonter la rue du Faubourg-Montmartre dans ses odeurs de fête, croiser les prétentielles et les ensuifés du Palace qui s'inventent un passé.

L'hiver avance sur moi, doucement. Le journal tient chaud. Les journalistes vont et viennent, la Belgique, l'Italie ; hâbleurs, ils partent en voiture rouge barrée de lettres blanches ; ils racontent des banquets. Moi je reste à l'ancre, la calculette en main.

Je déteste le basket. Je ronge mon frein, dans l'attente d'un guidon. J'ai la lyre, et le porte-plume. Je suis prêt. Il est temps de chanter mes Achille à cuissard fluo. Un soir, sans prévenir, Lino passe une épaule dans la guitoune. « Môme, j'ai un article pour toi. » Un article. Une histoire, la première, où planent des oiseaux de proie.

AIGLES

Un jeune Turc quitte les marais du Tigre et de l'Euphrate. Il va seul à vélo vers Paris et droit. Ayant passé Istanbul, il avance sur Sofia, Belgrade, il traverse Zagreb. Les Alpes en neige ne l'effraient pas. Il voyage d'une traite, dormant sous un duvet. Dans la hauteur d'un col, planant sur le silence, les aigles frôlent son corps. Il fuit dans la descente, courbé sur ses entrailles et protégeant son foie. Il arrive à Innsbruck. Il longe Zurich et Bâle ; puis c'est Paris enfin, ses femmes en manteau. J'ai oublié son nom. C'était mon premier article. Une fête avait été organisée à l'ambassade de Turquie en l'honneur de ce Prométhée. Je voulais la raison de son exploit pour rien. Je contournais les groupes sous les lustres. S'ouvrit une clairière plus large et je vis, dos à la cheminée, un jeune homme maigre qui n'avait qu'une jambe.

Jacques Anquetil

C'est septembre, septembre isolé du monde dans un décor de pluie. Le vent tournoie sur la vallée de Chevreuse, butant sur les falaises, bondissant sur la plaine d'où l'on croit voir Paris. Une Hotchkiss rouge fend la tempête à coups d'avertisseur. Un mécano se tient debout sur le marchepied, vélo sur l'épaule, casquette au vent, la visière levée. Sur la calandre masquée d'un panneau de bois, les spectateurs retrempés lisent un nom.

Anquetil.

Anquetil en huit lettres noires. Anquetil dans la stridence des klaxons, ces yeux trop grands de tuberculeux. Anquetil à dix-neuf ans si fin de jambes est un enfant aux veinules trop bleues. Surgi de nulle part, un blondin sans passé. Anquetil vient au jour sous un ciel de pluie, vêtu d'un maillot rouge à parements blancs. Le maillot rouge La Perle. Anquetil enroule un braquet sans exemple, le dos immobile, replié sur ses chairs dans une manière fœtale.

Sa vitesse sous le vent est stupéfiante.

C'est une sorte de commotion que l'irruption du génie. Francis Pélissier, qu'on appelle « le Grand », derrière les essuie-glaces savoure l'assomption de ce

Normand nacré qu'il appelle « le Môme ». Ces allures de page, cette blancheur de lys, le gamin est sa trouvaille, sa perle des provinces. Jacques Anquetil vient au monde ce dimanche 27 septembre 1953. Il sort des brumes de Rouen pour conquérir Paris. Le Grand Prix des Nations est au cyclisme ce que les *Variations Goldberg* sont à l'art du piano. Une prouesse solitaire de cent quarante kilomètres. Anquetil est ce Glenn Gould qui concerte plus de trois heures à quarante de moyenne. Les saisons du noviciat mystérieusement sont éludées. Anquetil a dix ans d'avance sur son destin et dix minutes de marge sur ses adversaires rompus.

Il maintient un braquet immense d'une octave et trois notes.

Anquetil vient au monde avant terme, ajoutant au bestiaire l'hybride de la biche et du taureau. Sa force est suprême, ne se laissant pas voir. Ses membres onctueux ne pèsent pas. Anquetil enveloppe sa machine ; il pédale de la pointe, effaçant la douleur en signe de politesse. Le protégé de Pélissier surgit dans un style inédit, mélange d'effluence et de surpuissance adolescentes, là où Coppi et Koblet s'illustrèrent dans la force de l'âge. Ils étaient les rois du chronomètre ; Anquetil enfant devient le maître du temps.

S'il fallait écrire un dictionnaire, je commencerais par Anquetil, à la lettre A ; j'oublierais ses précédents dans l'alphabet, Adorni l'élégant, le taurillon Agostinho et Altig l'Allemand, ces mémorables de moindre condition. Il faudrait commencer par Anquetil dans ses débuts inouïs.

Sorti d'un rêve de buée, cet ange diaphane allait offrir la matière d'un mythe dont il serait le seul héros et l'unique victime.

En ce dimanche de septembre, Anquetil est fêté, Anquetil sourit. Francis Pélissier se tient à l'arrière en costume-cravate. Entre ses doigts s'élève une cigarette qu'il n'a pas allumée. Ce n'est pas la première fois qu'il jette à la gloire un fils de rien. Il protège l'apparition d'un mystère : il a mis sous contrat un prophète, un insaisissable qui n'a pas donné le nom de sa religion. Pélissier est heureux, vieux chien sous le tweed. L'inquiétude monte en lui. Il fait l'affranchi, tapant du pouce la Boyard gros module, toujours éteinte, mais l'inconnu effraie : le rayonnement naturel du garçon passe son entendement.

L'irruption du génie est une sorte de commotion. Elle l'est pour l'élu, qui ne sait pas sa force ; elle l'est pour les autres, comme une lumière qui frappe.

De cette puissance, Anquetil jamais ne s'émut. Le cyclisme lui permettait d'échapper à sa condition. Son père cultivait les fraises, courbé du matin au soir. Anquetil fut le premier de la lignée à relever l'échine. Et le premier surpris de ce don à pédaler ; il se décida à simplement l'exploiter, comme on pratique une terre grasse.

Anquetil fut le premier en toutes sortes de défis que lui seul s'imposait. Il agissait dans le calcul. Il se calculait. Il inventa un palmarès pour l'établir ensuite. Il fut le premier à gagner le Grand Prix des Nations à dix-neuf ans, à en battre le record à vingt ; le premier chaque automne à battre ce même record, qui lui appartenait, pour totaliser neuf victoires. Il créa son style. Il fut le premier à battre le record de l'heure, jugé inaccessible, du grand Fausto Coppi ; le seul à le battre onze ans plus tard, avant de raccrocher. Il fut le premier et le dernier à enchaîner en vainqueur, à huit heures d'intervalle et sans sommeil, le Dauphiné libéré et Bordeaux-Paris, une course qui tuait son homme. Il fut le premier à gagner les trois grands tours nationaux, d'Espagne, de France et d'Italie. Il fut le premier à gagner cinq Tours de France, une fois portant le maillot jaune de la première à la dernière étape. Suivant les boucles de la Seine, à l'exemple des envahisseurs normands, il pénétra cinq fois Paris en vainqueur. Anquetil comme ces seigneurs se civilisait mal, mû par des forces anciennes et paganiques.

C'était un orgueilleux.

C'était un hérétique, sous un maillot de soie.

Par le cyclisme s'inventent des apanages, s'élèvent des manoirs. Un individualisme privé de source et d'hérédité s'exprime dans ces parages. L'ambition. La simple obsession de la différence. Anquetil fut le premier et le seul jeune de sa région à porter des polos noirs. Il s'en souvint jusqu'à sa mort, comme d'une prime manifestation de l'ego. Il allait passer sa vie à établir la preuve de son unicité.

Il roulait en Frégate couleur «fraise écrasée», abolissant le passé dans une métaphore de misère. Tôt enrichi, assuré de sa race, il acheta une propriété qu'il appela «Les Elfes», les génies de l'air de la mythologie scandinave. Puis il acquit le château normand des Maupassant. Anquetil s'inventa une noblesse, en asseyant un nom. Regard clair, cheveux blonds, il se rêva une ascendance de guerrier nordique, se montrant froid jusqu'à l'excès, accueillant froidement la victoire et parlant froidement du dopage. Mais il dévoilait en course un visage de possédé. Anquetil demeura fidèle à cette naissance trop soudaine. Il avançait, magnétique, spectral, maigre, blanc – cheminant à rebours des émotions communes.

Il se voulait seul de sa race. Il voulait s'étonner. « Je ferai comme il me plaira. » Il mangeait ce qui lui chantait, repoussant les blancs de volaille et les bouillons. Il aimait la langouste Thermidor et les mayonnaises bien prises. Il aimait la bière Orval et le fond cidreux des nuages. Il buvait du champagne avant course ; il en commandait pendant, pour se fouetter les nerfs ; il en buvait après, mais ne se grisait pas. Par ces manières, il écœura les ascètes, les pisse-froid. « Voici le programme que je conseillerais à la veille d'une course : un faisan aux châtaignes, une bouteille de champagne et une femme. » Tous les goûts étaient dans sa surnature. Comme Coppi, il fut fidèle et peu coureur, mais s'enticha d'une épouse de notable. Elle ressemblait à Martine Carol. C'était une rayonnante, une pétroleuse aux cheveux d'or. Elle n'aima pas tout de suite « ce timide rigide de la cambrousse normande ». Elle s'appelait Janine.

Obsédé par la mort, scrutant les étoiles la nuit pendant que Janine dormait. Armé d'un télescope, dans son grenier observatoire, comme les Vikings sur le pont des drakkars, il s'était choisi le temps comme bel adversaire. Anquetil s'entraînait à l'insomnie. Il segmentait le temps en secondes et millièmes : il divisait le vide pour mieux tuer le néant. Il conjurait la fin. À geler les aiguilles, à rendre le temps fossile, il s'éveillait en sueur et sondait le destin, s'étonnant chaque matin qu'on pût naître mortel.

Sa puissance était fluide – immuables les trois rites précédant ses exploits. Il allait chez le coiffeur. Il visitait son radiesthésiste, cité Bergère, près des Grands

Boulevards, qui imposait ses mains. Il s'infligeait des séances terribles derrière la moto d'André Boucher, son entraîneur, l'homme qui l'avait découvert, l'homme qui lui offrait sa science et sa maison une pleine semaine, lui laissant son lit, les plus beaux draps, comme à un fils revenu des périls.

Anquetil vivait dans la superstition. Il consultait les devins et les magnétiseurs. À ne se soumettre qu'à la force de l'ombre, il cherchait plus loin que le jour et roulait seul la nuit, tous feux éteints. Ses compagnons de chambre subissaient son angoisse, délayant le temps par les tarots, le bridge, la lecture de *L'Équipe* ou des cartes d'état-major. Nul ne pouvait dormir sans qu'il l'ait décidé. Le lendemain, il gagnait avec deux heures de sommeil. Et deux minutes d'avance.

« Le cœur le plus volumineux du sport français. » Un cœur hypertrophié, aux limites du pathologique. Une résistance incommensurable. Des reins de léopard. Une souplesse d'iguane. Ce style lubrifié, huileux, cette mécanique hydrostatique, cette efficace sans limite, il les avait élaborés patiemment, selon son décret. Il se mouvait sous une écorce lisse, sans effort lisible, les muscles ondulant dans la transparence des gaines. Il tournait toujours rond, tête plus basse que dos, même quand les bielles chauffaient. Sous le marbre apollinien grondait une fureur dionysiaque. Il apprit à bluffer si l'essence manquait. Nul ne fut plus beau ni plus rapide ; nul n'alla plus loin dans cette douleur singulière qu'est le cyclisme, cette douleur supérieure dont les plus bas se délectent, usant de la souffrance comme d'un passe-droit, s'enfermant dans le silence et le ressentiment.

Anquetil se faisait privilège de dompter la douleur ; il eut mépris pour elle et la jeta aux plombs. Il fut le seul à rouler avec une hépatite virale et un ténia ; le seul à masquer en course un début de tuberculose.

Anquetil rêvait de renaissance et d'immortalité. Il se conforma à l'idée qu'il se faisait des dieux. Il devint un surhomme en civil. Ce corps traversé de terreur animale était vêtu de strict au quotidien. Maillot fermé en course, toujours, la casquette ajustée et les chaussures cirées – deux chaussons noirs sur le joug des pédales. Il exigeait du mécano qu'il roulât chaque matin une tresse neuve à son guidon. Il était dandy à sa façon sans extravagance. Il aimait les Ford Mustang et les petits canots à moteur qu'il manœuvrait en châtelain près des berges de Seine. Il ne quittait jamais la Normandie et ses nues grises ; il goûtait le sel sur les feuilles et s'endormait au matin dans des moiteurs de mer.

On le jugeait hautain : il comptait ses minutes. Il avait le sang joueur : il passa pour cynique. Ses jeux avec le temps, ses combinaisons d'aiguilles l'avaient rendu abstrait. Anquetil semblait décharmé du monde. Il ne riait qu'à volets clos, sous l'œil des amis. Il choquait par ses hâbleries de grand veneur, ses courres de parvenu sûr de sa chair. Je l'ai croisé un an avant sa mort. Nous suivions Hinault qui faisait ses adieux à la course. Anquetil préparait ses adieux à la vie. Il était vêtu de blanc, diaphane comme à ses débuts, le temps fermant sa boucle. Il portait d'étranges bottines en cuir blanc qui m'émurent, vestiges d'un faste à la Roy Orbison.

C'était un poète d'une espèce ténue, extraordinairement rare. Il voulait révolutionner le cyclisme comme Malherbe la langue française. Il imposa des tournures au millimètre, ratura les redites du temps ancien, les lourdeurs paysannes et le parler rugueux. Poulidor fut son pendant régionaliste ; il fut son maudit, son second, son ennemi dialectal, héros des publics patoisants. Anquetil voulut rénover le peloton comme on rénove la langue. Il secoua les mots de la tribu, quitte à se faire haïr, forçant sur la métrique et croyant fort aux chiffres. Pointilleux sur l'attaque, il surveillait les chutes. D'une jambe l'autre, cisaillant l'hémistiche, il pédalait en alexandrin. Dans le plus fort des cols, entre les congères et les spectateurs emmitouflés, quand les coureurs balbutiaient, hagards, à rimes pauvres, Anquetil assurait la maintenance parfaite du sonnet.

« Où le danger est grand, c'est là que je m'efforce. »

Les plus rustiques acceptaient mal ce flirt aux marges de l'humain. Ce garçon sans épaisseur, quelconque sous la toise, dut répondre à la provocation du grand Rik, trois fois champion du monde, trois fois colosse – dont le nom en flamand signifie « montagne de pierre ». Rik Van Steenbergen invita Anquetil au cœur de la Belgique pour qu'il montre « ce qu'il avait dans le ventre ». Il dut engloutir deux grands verres de la bière locale sans donner de la gîte. Anquetil accepta les termes de la gigantomachie. L'histoire dit qu'il commanda force champagne pour chauffer les viscères ; qu'il engloutit les deux verres, tenant Rik par les yeux ; qu'il vida huit autres bières, demeurant sans frémir ; qu'il brisa le verre en cristal et le pila, mangeant les éclats jusqu'au dernier. Le nom Anquetil, en haut langage nordique, se dit *ansketell*, le « chaudron des dieux ».

Anquetil se décalait légèrement de côté : il absorbait le vent. Il avait faim d'espace. Dans le magma des coureurs, il cherchait une solitude. Il détestait rouler en peloton. Il détestait la pluie. Et le froid le freinait. Il aimait mieux vaincre quand le jour était beau. La solitude, l'été. Les exégètes soutiennent que son chef-d'œuvre définitif – certifié par les hommes de l'art – est ce contre-la-montre disputé sur le Tour d'Italie, entre Serigno et Lecco. Sur une géographie vallonnée, Anquetil esquiva 68 kilomètres à la moyenne horaire de 45,356 ; soit plus de 50 kilomètres à l'heure sur terrain plat. D'autres, calculette en main, prétendent que Jacques Anquetil a atteint son paroxysme dans le Grand Prix des Nations 1965, parcourant les 73,70 kilomètres à 46,843 kilomètres dans l'heure. Pour faire impression, ils ont établi que les distances cumulées de ses chronos victorieux représentent un trajet de Paris à Moscou. Soit une retraite de Russie à l'envers.

Il reconnaissait au bruit, à l'onctuosité, un boyau dix grammes plus léger. Il avait le toucher de bitume d'un thaumaturge. Il rendait lisses les routes, il effaçait les aspérités ; il honorait la courbure terrestre. Tout a été dit sur la perfection du geste. Anquetil apprivoisait la haute vitesse dans le sillage des motos, les vélos ne suffisant plus. Il entretenait avec le vent un rapport d'amour et manœuvrait son corps comme un voilier de haute mer. Il n'embarquait jamais sans amadouer les esprits à force de rituels et de dévotions. Anquetil préparait l'exploit contre le temps à la façon primitive des marins. Il répétait les mêmes gestes. Il conjurait le sort par les habitudes minuscules, les minuties apprises, répétées de la prière et de l'invocation. Anquetil s'enfermait dans le silence. Nul ne parlait à table. Tous se taisaient dans les chambrées. L'équipage respectait le recueillement du capitaine ; on l'observait de loin, ligoté dans son vaudou de précautions. Avant de jouer sa peau contre le chronomètre, Anquetil s'astreignait à une vérification ultime du corps, de la machine et de la surface terrestre.

Dès l'aurore, il filait en voiture pour observer le parcours. Il s'incorporait les variations du sol à la manière d'un sismographe. Il s'arrêtait au pied de chaque côte; comme un Indien faisait brûler de vieux journaux pour déchiffrer les caprices du vent. Une manie du grand Pélissier. Il ne notait rien, mémorisait tout, radiographiant les portions lisses où ses roues fileraient mieux. Il profitait de cette reconnaissance pour dénicher une auberge en retrait. Après quoi il retournait sur la ligne de départ et faisait tranquillement le parcours à vélo, raccordant la vision aux sources du toucher. Infusé de géomancies, il vérifiait les trajectoires, combinant les martingales du braquet à la rose des vents. Il filait à l'auberge avec Geminiani et commandait le même repas totémique, éternel, presque liturgique, sans quoi la victoire pouvait échapper. Une tranche de jambon cuit, un steak haché, une poignée de riz, deux bols de thé. Retour à l'hôtel, une heure avant la course, Anquetil s'enfermait dans la salle de bains. Anquetil ne s'échauffait pas sur le vélo comme font les coureurs. Il demeurait les jambes ballantes au-dessus du bain bouillant. Une manie du grand Coppi. Il détendait les muscles sans les solliciter. Anquetil se mettait à suer comme s'il montait un col en juillet. Les bielles doucement se mettaient en branle, immobiles; un mouvement abstrait secouait la carcasse. Anquetil était prêt. Il était habité.

Louis Debruyckère le mécano s'approchait en maître d'armes, un doigt sous la selle, un autre sous la potence : Anquetil recevait la machine comme on reçoit l'épée. Cadre en tubes d'acier trois dixièmes. Roues Nisi à 24 rayons ligaturés et soudés. Boyaux de soie Dourdoigne à 190 grammes, allégés du ruban intérieur, collés à la gomme laque et gonflés à l'hélium, moins lourd que l'air, quelques minutes avant le départ. Anquetil n'avait plus qu'à vérifier le bon crantage des cheveux.

Les exploits ne font pas entrer vivant dans le cœur des foules. Précoce dans le surhumain, Anquetil fut mal aimé dans l'âge d'homme. Il avait trente-deux ans. Il avait tout gagné. Les Français boudaient son œuvre, dédaignant ses Tours de France gagnés le compas à la main. Ils adulaient Poulidor, grandiose dans les défaites.

Il fallut le génie latin de Raphaël Geminiani, son nouveau directeur sportif, pour qu'Anquetil bascule du classicisme aristocratique au romantisme populaire illustré par Coppi. Geminiani eut l'idée d'un exploit mythologique, une débauche de force mise savamment en publicité. Geminiani voulait mettre des larmes sur le marbre d'Anquetil. Et lui offrir l'amour. Gem rêva que Jacques abatte la plus forte carte et tombe à cœur sur la retourne. Gem médita un exploit à la mesure de la France. Un exploit tellurique empruntant aux forces du jour et de la nuit. Un exploit en direct où le temps ne serait plus le bel allié d'Anquetil, mais son bourreau.

Geminiani dans sa soif épique décida d'enchaîner sans repos, en un même soir, le Dauphiné libéré et Bordeaux-Paris. Soit une course d'une semaine, sur deux mille kilomètres, entre Mâcon et Avignon, traversant les Alpes et une pluie glaciale – puis un raid consécutif de six cents kilomètres, entre Bordeaux et Paris, à enfiler d'une traite et sans sommeil.

Soit une *Iliade* suivie d'une *Odyssée*.

Une folie.

Dans ce voyage au bout de la nuit, Jacques Anquetil souffrit tôt la tenaille d'un Poulidor déchaîné, avide de sabrer le défi du grand prétentieux. Amaigri, blafard, Anquetil remporta le Dauphiné de justesse devant l'ami des foules, maudissant le grand Gem dans ses desseins de gloire. Restait à rallier Bordeaux, se présenter à l'heure au jugement dernier.

Commence le compte à rebours. À 16 h 58, Anquetil passe la ligne d'arrivée à Avignon. À 17 heures, il accepte un bouquet et quelques baisers. À 17 h 10, le mécano ouvre la foule ; Anquetil sprinte jusqu'à la Ford Taunus pilotée par Geminiani. À 17 h 15, la Ford quitte le parking sous les vivats. À 17 h 20, Anquetil arrive à l'Hôtel de Crillon ; il prend un bain, dévore un steak tartare, une portion de camembert, une tarte aux fraises et boit deux bières. Un point d'angine lui raye la gorge. À 17 h 55, deux motards libèrent la route jusqu'à l'aéroport ; Gem fait hurler les pneus, il pousse des pointes à cent quarante. À 18 h 30, Anquetil et sa troupe arrivent à l'aéroport de Nîmes. Jacques se fait masser en répondant aux journalistes. À 18 h 35, il prend place, avec tous ses vélos, dans un Mystère 20 affrété par le général de Gaulle. Le départ de « la course qui tue » est donné à Bordeaux à 1 h 30 du matin.

Anquetil épuisé subit la pluie et le vent au bout d'une heure de route. Il reste cinq cents kilomètres à couvrir : il en a deux mille dans les jambes. Vers 4 heures du matin, Anquetil parle d'abandonner, il peste seul dans la nuit; il insulte Gem. Anquetil s'accroche, exsangue, œuvrant sous le vent jauni par la lueur des phares. Dans la campagne poitevine, à l'aube naissante, on l'extrait des lainages. Louis le mécano s'empare du vélo. Anquetil est passé au gant de crin, livide, tremblant, perfusé par les encouragements murmurés à l'oreille. Anquetil s'écroule dans le jour blanc. Il veut abandonner. Gem devient fou. Suit un dialogue improvisé la rage au ventre, dont Gem livrera par la suite quantité de versions. Gem insulte Anquetil. Gem insulte son ami.

Jacques se relève, il se saisit du vélo. C'est reparti. Gem respire. Vers Châtellerault, la course prend des allures équestres. Les coureurs plongent dans le sillage de cyclomoteurs drivés par d'énormes cochers dont les épaisseurs découragent le vent.

Dans cette nuit agonisante, alors que le jour dévoile son visage de zombie, les bras poissés de la sueur du front, Anquetil s'accroche, Anquetil survit aux plaines de Touraine, Anquetil se réveille, Anquetil survivant à la fatigue et flottant sur les ondes radio pénètre dans les cuisines de France, Anquetil dans les vapeurs du café et le tintement des petites cuillères entre dans les cœurs incrédules à coups de « c'est pas vrai ».

Anquetil est là. Anquetil est toujours là.

Combien sont-ils ce jour-là, poulidoristes ou non, qui s'habillent en vrac et filent vers Chevreuse comme monte le vacarme des cyclomoteurs ? Qui sont-ils, ces amoureux conquis tenant la file sur la côte de Picardie quand Anquetil revenu premier s'échappe dans un état second ? (Il y avait, accourus en Traction, mes oncles d'occasion, Benat Guy et Moussy Gérard qui m'offrit dix ans plus tard *La Fabuleuse Histoire du cyclisme* de Pierre Chany, où je découvris l'histoire de ce doublé.)

Sorti d'un cauchemar d'eau et de froid, Anquetil traverse une foule au bord des pleurs, hommes, femmes et enfants au garde-à-vous sur ces côtes de Chevreuse où la légende est née. Cinq kilos perdus, peut-être plus, l'ovation immense du Parc des Princes et Janine immobile. Anquetil pénètre dans le rêve incubé de Raphaël. Anquetil au sang de reptile s'effondre en larmes pour la première fois.

Anquetil vient d'accomplir le plus grand exploit de l'histoire du cyclisme.

À compter de ce jour, la force s'efface. Trois ans plus tard, Anquetil a replié le maillot.

Anquetil hors la carrière prend son habit d'aristo-crate des labours, il tient la ferme, travaille au double des paysans. Hobereau libertaire, noceur en tracteur, il a gardé ce visage de chaux. Il marche seul entre le bois et les orées. Il se déguise en chasseur, mais ne tue pas. Il se cache près des étangs. Il admire la solitude nocturne des sangliers. L'idée de la mort le reprend. Lui qui subjuguait le destin à force de vitesse se veut un héritier pour maintenir les armoiries.

À la façon antique d'un roi, Anquetil l'hérésiarque attire celles de sa famille, et la mère et la fille, aimant à huis clos, créant des ménages de roman, hors des règles, hors du temps. Il ne veut plus sortir de la race par lui inventée, ni mélanger son sang. Anquetil est devenu le seigneur d'une tribu aux cheveux d'or ; il est ce roi normand sorti du néant de la terre : une puis-sance lacustre. Toute création vient de ses eaux et s'y dissout. Il faisait l'œuf à vélo, fermé aux rugissements du vent, niant le hurlement des foules, replié sur lui-même ; partout propageant cette pureté formelle – ce style endogame.

Usé par les efforts supérieurement épuisants consentis dès la jeunesse, usé par les fortes nourritures, le champagne, le cristal ingurgités, brûlé par les intrants nombreux, Anquetil affronta un cancer de l'estomac dans sa cinquante-troisième année. Il retrouva les cernes lilas, ceux de ses dix-neuf ans. Quelques jours après l'hospitalisation, il montait sur son vélo ; par bravade avalait un foie gras chaud, comme s'il se tenait encore au-delà de l'humain. Dans les derniers moments, il reçut Poulidor, l'éternel second, devenu son ami. Anquetil mourut en gardant la main. « Excuse-moi, Raymond, mais sur ce coup-là, je crois que tu vas encore faire deux. »

Puis il tourna le sablier.

Saint-Simon le disait de Lauzun, si terrible et frêle : « C'était une santé de fer avec les dehors trompeurs de la délicatesse. » Poulidor, Merckx, Stablinski et Eugène Letendre se retrouvèrent à porter le cercueil d'un homme que la science n'avait pas examiné. Geminiani toute sa vie s'est demandé ce que cachaient les entrailles de son ami.

Mais on ne dissèque pas un corps d'enfant.

Laiteux et métallique, irrationnel et calculateur, Anquetil était un pur-sang chargé de terribles desseins. Son style était limpide, mais ses raisons obscures. La vérité, c'est qu'Anquetil comme tous les mystiques avait sacrifié jeune aux forces de l'esprit. Il avait supporté des lois intolérables aux autres. Il avait fantasmé un geste parfait ; le corps avait fini par s'y conformer. La fluidité du style masquait la rigidité de sa conception.

Jacques Anquetil écrivait à l'avance sa marche dans l'illimité ; il travaillait un texte inouï qu'il récitait de mémoire, le jour venu, pliant la réalité à la forme du songe, courbant la matière à la forme des mots. Il réalisait les rêves.

ARTISAN

Tout corps est une machine et les machines fabriquées par le divin artisan sont les mieux agencées, sans cesser pour autant d'être des machines. Il n'y a, à ne considérer que le corps, aucune différence de principe entre les machines fabriquées par des hommes et les corps vivants engendrés par Dieu. Il n'y a qu'une différence de perfectionnement et de complexité.

RENÉ DESCARTES.
Discours de la méthode.

Le cœur fait défaut

Le visage presque d'un boxeur, avec des yeux d'enfant des champs. Et cinquante Tours de France dans un cahier. Pierre Chany l'Auvergnat reste le plus exact chroniqueur d'un cyclisme disparu avec lui. Chany demeure le maître étalon d'une discipline perdue, bafouée, engrenée dans la fraude et le discrédit. Ses livres sont toujours là, et ses articles par milliers. Ce garçon des gorges de l'Allier a donné le portrait de ceux qui furent grands. Il a sauvé, en bas de casse, les exploits mineurs, et des plus humbles le modeste fracas. Il laisse une somme anarchique, exhaustive, exempte de classement, où palpitent les minutes d'un monde voué aux excès de la peine et du sentiment.

Pierre Chany était chroniqueur à la grande manière, pour ce qu'il mettait de chair dans l'écriture. Ni simple journaliste, moins encore historien, il n'avait pas de sécheresse au cœur. Dur au débat, affûtant l'argument, il usait de charme et de colères feintes pour percer un cerveau. Jaloux de son empire de cyclistes en fer-blanc, généreux par la profondeur de ses compréhensions, il restait un paysan dans la méfiance enraciné, n'acceptant aucune bravade qui ne fût, sur le bitume ou sur la page, démontrée et signée. Il était scrutateur. Il savait peser l'homme. À l'école du cyclisme, creuset d'orgueil et de modestie, Chany l'Auvergnat n'acceptait ni la vantardise ni le manque d'ambition. Il militait pour une grandeur prouvée.

Serrant sa main, je serrais la main de qui avait serré la main de Coppi. J'ai connu Chany à sa fin, dans le règne froid d'Hinault qu'il jugeait durement. Pierre Chany exigeait des champions la plus-value de l'art. Il fut une manière d'artiste dans sa spécialité, seul dans son style et sa mémoire trop vaste, solitaire dans son œuvre opiniâtre de justicier.

Exilé de l'intérieur, monté d'Auvergne en Seine, de Haute-Loire vers Paris, Pierre Chany est de ces vagabonds basculés à l'écriture par le chemin des rues. Quand ses parents arrivent dans la Capitale, ils échouent dans un hôtel interdit aux enfants. Pierre Chany passe devant la loge de la concierge, enfoui dans un panier. Son père roulier la nuit aux Halles tient le jour un café bougnat, rue de Chalon, dans un creuset ouvrier anéanti depuis. Sa mère dévide des bobines électriques. C'est l'avant-guerre dans ses lueurs de houille. Cent mains sur le zinc se partagent les journaux, *Sport*, *L'Auto*, *Paris-Soir* et *Match*. Magne Antonin le pays, Vietto René et Pélissier Charles sont les idoles légales.

Tôt équarri aux discussions de comptoir, dévorant l'imprimé, Chany est premier en rédaction. Cycliste sans licence, il débute à vélo par des « courses sauvages ». Jusqu'en 1942, il se frotte aux habiles de l'époque, les Robert Chapatte, Maurice Diot, Roger Piel et Guy Lapébie, mais il freine dans l'angle mort : il a les jambes, pas l'ambition. Chany passe un diplôme de serrurier ; il entre dans la Résistance, comme par effraction. Il se fait arrêter dans l'hiver

1943. Il a vingt et un ans, assez pour endurer les gifles de la police française. Six mois plus tard, il s'échappe de la prison de Riom où le ministre Jean Zay croupit avec lui. Pierre Chany prend le maquis en Ardèche, dans la mouvance communiste des FTP. Il revient en héros. Cet enfant du plateau de la Margeride, élevé sous serre dans les fumées de tabac, contrarié dans son rêve de faire l'Antonin, ce premier de la classe va décrocher la croix de guerre et quatre citations.

Voilà qui pose l'homme, mais n'en fait pas encore le Michelet des pelotons. C'est tout un mystère que l'accession d'un gamin de la communale aux places cirées du parterre. Chany se marie avant la démobilisation. Il fête ça au rouge, mal sorti des banalités. Acidifié par la jaunisse, le maquisard dégrise sur un lit du Val-de-Grâce, lorgnant par la fenêtre, le regard vide, son maigre horizon dans la serrure.

C'est là que débute la vraie vie de Chany.

Le Val-de-Grâce, une nouvelle fois, accomplit son œuvre d'élévation. Trente ans plus tôt, la médaille militaire au coin de la vareuse, Céline trépané s'est inventé là dans un brouillard de bandages et de draps au côté d'Albert Milon, le Brandelore de *Voyage au bout de la nuit*. C'est là qu'Aragon et Breton sortis indemnes des tranchées ont ruminé leurs prémisses de poésie. Peu versé en littérature, Chany fait chambre avec un écrivain fantasque, Stanislas Gara, juif hongrois qui le pousse à écrire dans les quotidiens. Chany sort du Val-de-Grâce les poumons gros. Il pénètre le faubourg Montmartre, où les gazettes pullulent. Son savoir de coureur lui fait un passeport presque vrai. Le voilà journaliste sportif.

Pierre Chany prend sa carte le même jour que Louison Bobet. Ils débutent ensemble en 1947, l'un à vélo, l'autre à moto, sur le Circuit des Six-Provinces. Les routes rappellent la guerre. Les crevaisons sont nombreuses. Le soir, dans la chambre de Louison, aiguille en main, Chany aide à recoudre les boyaux; Bobet relit l'article pour *Ce Soir* et *La Marseillaise*. Chany et Bobet progressent dans l'époque. C'est une complicité d'hommes orgueilleux, une amitié d'enfants échappés de la bataille.

Sa vie comme celle du jeune Bobet fait exemple d'une course acharnée vers l'anoblissement. C'est une histoire de France à l'accéléré, avec ses dialogues dans les seigles, ses murmures de prison, le grand nocturne des maquis. C'est une histoire de terre vaine, de montagnes sans eaux.

Sur les photographies du Tour 1947, dans cette dernière étape où Robic remporte la course, derrière les échappés, on distingue, par sa casquette étroite et son tricot rayé, un passager comme revenu du bagne; c'est Pierre Chany buste raide sur le deuxième siège d'une moto. Chany entre dans Paris avec sa horde embarquée d'outre-temps, les Vietto, les Brambilla, mal réveillés de six ans de guerre; il fait corps avec les princes nouveaux et les anciens soutiers.

Puis vient Coppi et Coppi entre dans la vie de Chany. Quand Chany voit débouler Coppi des tunnels de Milan-San Remo, aveuglé par le ciel blanc de mars, secoué par la foule qui hurle son nom et le pousse au-devant de lui, son corps tremble aussi. C'est l'enfant du Piémont et c'est l'enfant d'Auvergne qui avancent ensemble vers un temps retrouvé.

L'Europe est à bas. Les courses se jouent à vif, sur des routes défaites. Le courant passe mal. Le téléphone ne passe pas. Une guerre picrocholine affronte les journaux, à qui balance en premier. Pinces en main, Chany escalade les poteaux badigeonnés au goudron. Il se branche directement au câble ; il double les confrères. À la persistance du paysan, au courage du coursier, Chany adjoint l'opportunisme du maquisard et repart tranquillement à moto.

Forgé dans l'action qui retrempe, Chany dans sa trentaine s'ajoute une manière. La leçon de Coppi est entendue. Et il y a l'exemple, le contrepoint admirable d'Albert Baker d'Isy, le maître régnant de la chronique sportive, l'homme au menton d'empereur. Baker tranche dans ce milieu d'encreurs bas de plume. Il apporte un style, un tempérament ; il dégage le cyclisme de sa glaise. Comme Coppi, Baker avance en chevalier. Il opère une transmutation vers l'art. Cette paire fantastique, sortie d'un conte, fait exemple supérieur pour Chany, subjugué par le héron de la Bianchi et les excentricités de Baker.

Au début des années cinquante, Chany a égalé Baker. Il l'a dépassé. Il va entrer à *L'Équipe* au prix d'un exploit physique, en subjuguant Goddet. Dans la nuit de Bordeaux-Paris, à l'arrière de la voiture de direction, Jacques Goddet s'est endormi. Chany quitte ses habits civils qui cachent un maillot de laine et un cuissard noir ; il sort le vélo du coffre et se joint aux coureurs, comme on joint le maquis. Il pédale une partie de la nuit ; il questionne, il esquive le vent froid ; Chany fait son métier, les coureurs font le leur. Quand Goddet s'éveille, il remonte le peloton, décompte les échappés. À l'arrivée, Chany s'éclipse dans les combles du Parc des Princes ; Goddet surgit :

39

ils se font face dans le tunnel. «Chany, le directeur de course vous adresse un blâme, le journaliste ses félicitations.» Chany entre à *L'Équipe* à la manière d'un champion.

Chany comme Fausto s'invente une diététique. Vialatte est son lait quotidien; il y ajoute Balzac, Cendrars et Céline au goulot, Hardellet dans ses orgies de chair grasse, Bernanos aux soirs de fièvre, la prose maigre d'Hemingway. Comme Coppi routier complet, voilà Chany amorti sous les manies transformistes du chroniqueur. Et cette gloire spéciale de faire meilleur récit des meilleurs cas humains; les coureurs ignorent la nature de leurs exploits tant qu'ils ne sont pas affrontés au miroir de Chany. C'est au matin des courses, lisant *L'Équipe* tandis que le masseur passe sur les jambes un voile de pommade, qu'ils découvrent la qualité exacte de leur tabac. Pétard de première ou cigare froid. Plus que l'héritier de Baker d'Isy, pris de boisson, qui sombre en Charlus grisé de riens, Chany devient le champion naturel des chroniques nées sous le vent. Comme Coppi, il fixe le geste dans un tableau.

Mais Chany dans l'âge d'homme n'est pas à maturité. Après Coppi et Baker d'Isy, éclipsés dans un parfum de tragédie, le Michelet de Langeac va croiser ses pairs de grand jeu : Jacques Anquetil et Antoine Blondin.

Chany entre à quarante ans dans l'âge des défis. C'est le temps des plaisirs, enfin. Mustang et Caravelle, la France monte en cylindrée. C'est le temps fameux de la voiture 101, le carrosse du Tour de France, placé en tête des voitures suiveuses – une 404 rouge à pavillon blanc, où se serrent Blondin, Chany et

Michel Clare, le tiers lettré. Sous l'habitacle brouillé de fumées, balayé par les œillades transverses du pilote Jean Farges, inquiet des cendres en dépôt sur « sa » banquette, sous ce toit précaire advient le cyclisme dans sa forme parfaite.

Chany établit l'historial ; Blondin à soixante à l'heure invente une chanson de geste dont se délecte Jean Paulhan le matin, dans les bureaux de Gallimard. L'adéquation sereine de l'art et de la langue, de la géographie et des mots, de l'exploit et du lieu ; la voiture 101, comme une fiole secouée dans les descentes de cols, élabore la chimie d'une France à la mesure du lyrisme et de la blague, du calembour et du poème. Chany accueille l'insouciance du hussard. Il découvre les jeux d'une langue repassée à l'alambic. Voisins de guerre et de privations, Chany le partisan et Blondin le STO se trouvent heureux ensemble à buissonner.

Après s'être haussé jadis au niveau de Baker, Chany remet du braquet et touche Blondin au guidon. L'enfant de Langeac suit Maître Antoine et Maître Jacques dans les défis. Séducteurs et chanceux, ils ne manquent pas de touche au jeu. Chany vit dans l'intimité du champion, qui se confie à lui ; dans le sillage du hussard, il augmente sa voile. Chany et Blondin font pari d'écrire chacun un roman dans le même délai. Chany l'anarchiste sort *Une longue échappée* à La Table Ronde, dont les épreuves sont lues par Maurice Bardèche. Il manque l'Interallié d'un pneu.

Blondin n'écrit rien, Blondin n'écrit plus, comme Baker, laissant sa poésie à l'épreuve longue de la distillation. Blondin laisse le soin de finir son papier à Chany, qui vient de finir le sien. Blondin fatigué quitte la Peugeot.

Dans *Un singe en hiver*, Blondin éternise l'ami ; la mer bat le flanc de la côte normande, le long d'une avenue Aristide-Chany.

Chany vit son écriture avec ruse et bravoure, comme les coursiers. Il inclut à son verbe l'obstination de Bobet, la superbe de Coppi, les secrets de longévité d'Anquetil, les jugements d'Antonin Magne, madérisés sous le béret. Chaque saison, il augmente sa prose de tournures nouvelles, poussant loin sa façon. Mais il ne se brûle pas. Il donne chaque jour ses dix pages venues d'un jet dans les tabacs, avec la belle charpente et les huisseries qu'on aime caresser. Il consume ses cinquante mégots, mais il en garde sous la pédale, craignant de finir sec comme Baker et Blondin. Il tient la bride, ménageant une syntaxe de plaine peu gourmande en effets ; puis il donne du fouet un matin et reprend la main à l'approche des Alpes. Chany écrit avec la prévoyance du coureur d'étapes.

Il prépare ses exploits.

Il y a dans son écriture une exigence secrète de macération, des approches de cueilleur de gentiane ; Chany extrait des sucs, il collectionne les essences, il classe les coureurs, il certifie des propriétés. C'est qu'il est fidèle aux lenteurs du sol ; comme celle de Vialatte, sa parole ressuscite « l'amertume légère de l'Auvergne, son petit goût de cave et de lait suri ».

Nombreux sont ceux qui ont côtoyé Chany plus que moi et aux meilleures époques. Et qui pourraient mieux dire le détail de sa vie, ses débordements, ses galanteries sincères, son amour des femmes et des mots. Je l'ai vu dans le temps d'un cyclisme qu'il dédaignait. J'arrivais tard. Je pris mon strapontin rue du Faubourg-Montmartre quand il passait les soixante ans. Je montai à bord dans le moment que la barque prenait l'eau. Il était auvergnat, je n'étais que limousin. Je m'imaginais un déficit en ténacité. Chany jouissait des prestiges d'un sénateur ; il n'en abusait pas, sinon pour s'absenter l'hiver, parachevant son mémorial dans la neige d'Auvergne. Blanchi, toujours sanguin, il redoublait au clavier, comme les cerfs dans leurs dernières menées.

Chany transportait les coureurs dans le temps souverain ; il attirait sa meute dans les couloirs de l'encyclopédie ; comme Michelet, il écrivait une histoire et un roman suprêmement unis. C'est *La Fabuleuse Histoire du cyclisme*, en deux tomes d'un kilo chacun – jusqu'à sa mort remise à jour.

Moi, j'arrivais piteux dans l'après-Merckx, sa tyrannie sanglante, ses massacres monotones ; je débarquais dans le chapitre que Chany nommait « moyen âge ». Je prenais place dans la Peugeot nouvelle de Jean Farges, toujours à la gouverne, la peau de chamois en main. Nous traversions le silence de campagnes lavées par la peste ; je constatais le moyen âge que Chany avait dit, ses potences, ses bûchers, et Hinault en bourreau tirant derrière lui des soudards aux cheveux blonds. Nous avancions muets dans le froid d'un cyclisme devenu clinique, adulant le chiffre, la force brute.

Les coureurs n'exigeaient plus le surcroît de la poésie.

J'eus le temps de quelques discussions avec Chany, de Pelforth sombres, désenchantées. Je n'osais plus poser de questions. J'aurais voulu porter sa valise.

Nous attendions dans une gare sans train. Je donnai ma démission. Chany abandonna son bureau et le souvenir d'un mégot sur la lèvre du cendrier. Il décéda peu de temps après son ami Blondin. J'ai gardé sur un cahier la trace d'un entretien.

Et cette dernière phrase : « La part du cœur se réduit. »

REGISTRE ANCIEN

Comme il s'enrichissait, Fausto Coppi offrit à sa mère étroite et presque courbe, à cette mère soumise et noire sur les photographies scellant le champion dans l'idylle enfantine, Coppi offrit à sa mère vêtue de sombre un réfrigérateur. Il revint un autre jour avec une automobile neuve et de nouvelles joies. Le réfrigérateur brillait au centre de la cuisine, empli de chemises, qui faisait à sa mère étroite, dans le registre ancien, une armoire.

L'ART DE GRIMPER

La montagne est le lieu des rhétoriques faibles. Les figures pâlissent, les effets de style s'amenuisent. C'est l'endroit d'une vérité nue. J'admire l'éloquence des rouleurs, Anquetil dans ses œuvres ferroviaires expresses, les déboulés de Maertens si semblables aux prédations dans le ralenti des films animaliers. Les grimpeurs sont les seuls cyclistes qui satisfassent philosophiquement aux conditions de la proposition vraie. Les autres sont plus ou moins des hommes d'enveloppe et des rhétoriqueurs que démasquent les premières pentes de l'Izoard.

Les rouleurs de plaine propagent une confusion ; ils frappent du bec comme les sophistes, le dernier qui parle a raison. Un boyau fait justice et baste, le sprint s'achève en cacophonie. Le phrasé des grimpeurs s'établit sur des fondations : ils forment dans le peloton aux cent langages un souvenir d'avant Babel.

Le grimpeur surgit d'une claire définition.

Sous les à-pics de la Durance, les eaux hurlent sur des galets – c'en est fini des arrangements et des tope-là, dans un vacarme d'eaux ; les roues heurtent l'Izoard, les cartes tombent des manches, les ruses vont à bas. Les grimpeurs s'écartent du groupe. Ils élèvent le buste. Les gros parleurs souffrent l'hypnose des gravillons. Gréés de membres peu charnus rabotés vifs, les escaladeurs laissent le fardeau de la vie en commun. Des jurys de pins observent ces corps restitués à la fiction de la survie.

J'aime quand Bartali esseulé se tourne au décours d'un virage, quand Coppi, depuis les empilements de minéralogies, surplombe les hommes amalgamés aux brumes d'en bas. J'aime le moment où l'homme passe de la compaction au détachement.

Mon amour va aux fiévreux, aux amoureux de l'alpage pour ce qu'ils suivent le rêve icarien sans penser à la chute. Il faut un cœur frais pour sortir des sociétés. Les grimpeurs oublient le calcul en quittant les coalitions. Ayant défait les mortaises du peloton, ils vont à vide, soutenus d'un squelette et d'un bidon d'eau. Un ferment suicidaire couve sous la casquette doublée d'une feuille de chou. Ils ne gardent rien dans les poches dorsales et pectorales. On voit le ciel à travers les pédales ajourées.

La Divine Comédie sous le pas de Virgile établit le monde chrétien sur les pentes d'un mont. Demeure l'idée confusément que l'homme s'élevant s'informe d'un mystère. Le cyclisme naît aux lisières du regret. Entre les cols passe l'écho de la mort de Dieu.

Les grimpeurs sont de l'espèce littérale. Ils s'élèvent dans l'allégorie sacrificielle du Christ, banalisée il y a un siècle par Alfred Jarry. Dans *Le Canard sauvage* d'avril 1907, Alfred Jarry peint le Christ en grimpeur forcené. « Donc Jésus, après l'accident de pneumatiques, monta la côte à pied, prenant sur son épaule son cadre ou si l'on veut sa croix. » Le cyclisme est à peine né. Jarry voit juste. Jarry installe le cyclisme aux fondements de l'Occident, dans les jadis de l'Ascension.

L'art de grimper n'est pas une grâce, mais il faut un don. La montagne attire les corps évidés. Des homoncules, de purs esprits alchimiques moulinant dans l'ampoule de verre. Elle appelle des échalas. Des impondérables. Des follets surmontés d'un halo à faible tension. Les nains diaboliques côtoient l'espèce volatile des séraphins. La montagne de Dante sous-louée à Zarathoustra est un zoo mystique où de quasi-lévites montent en tourbillon. Ce sont des moitiés d'humains, quart duralumin et quart dieux. Les grimpeurs ne transpirent pas, ainsi des anges talqués ; ils laissent une trace de pollen et fécondent les cols d'un bidon de thé.

La montagne offre une revanche aux hommes sans chair.

Quand les premiers cols coupent la route du Tour de France, l'aristocratie des pistards et des géants à muscles est balayée. Surgit la caste inédite des petits grimpeurs, tous moustachus. Ballon d'Alsace en 1905. Tourmalet en 1910. Galibier en 1911. Nombreux montent le vélo à la main, le soulier sur la roche et la rigole froide. Les paysans brouettent des évanouis. Ceux qui ne mettent pas pied à terre deviennent les héros. Ce ne sont que fouines sans épaisseur, courtauds exaltés par la neige fondue. Ils affrontent le ciel en panoplies de vidangeurs. Pour prouver le passage, on impose sur leur bras un aigle prélevé dans une boîte de tampons zoomorphes pour enfant.

Les premiers vélos dans les cols atteignent des altitudes interdites aux avions. Les ours bruns rôdent sur les Pyrénées. Les dérailleurs existent, par vice sont interdits. L'ascension consiste en un mouvement d'haltères. Il faut lever des jambes pesantes comme des stères de bois. C'est l'époque reine de la force taurine, de l'hygiène – grand air, et l'esclavage en atelier. Paysans et ouvriers s'affolent de prouesses pour rien. Les métayers s'achètent un guidon dans l'espoir d'une gloire à labourer. Ils approchent doucement l'essence du cyclisme.

Ils vont créer l'académie nouvelle de la forcènerie.

Avec l'essor du tourisme, l'avènement des cures, les autos progressent sur les cimes. Les chemins de cols déblayés pour les aristocrates douze cylindres sont mieux visibles sous les roues. Des Daimler attendent les ascensionnistes. Des femmes en chapeau marchent vingt mètres, la robe contre la jambe des forçats en oripeaux. Elles se font photographier. Les meilleurs grimpeurs ne sont pas des artistes. Ils heurtent les cailloux, bancals, chiffons au vent.

Le premier grimpeur recensé au franchissement d'un col est un émacié, René Pottier – irrésistible en 1905 et 1906, année où il gagne le Tour, coiffé d'un bonnet blanc de pâtissier. Selon les suiveurs encapés dans l'unique auto, il esquive le ballon d'Alsace à près de vingt kilomètres-heure, sur un braquet forain valant ses quatre mètres cinquante. Pottier se suicide peu après, pour une histoire de cœur; il se pend au croc installé pour remiser le vélo. Il était parti pour régner sur cette race jurassique des grimpeurs à l'arraché qui ne souriaient jamais.

Il faut attendre les années trente pour voir les cyclistes monter comme les chamois. Les vélos s'allègent. Les moustaches vont dans le bol. La caillasse est moins laide. Les corps se réduisent. Ils s'appellent Benoît

Faure, dit «la Souris», Berrendero, Vicente Trueba, dit «la Puce de Torrelavega» ou Jean-Marie Goasmat, dit «le Farfadet». Ermites nourris de sauterelles. Des brindilles. Ils bougent la nuque et les épaules : ils monnaient leurs grimaces en applaudissements. Ils pédalent encore à l'imitation des humains.

L'ascension devient un art féerique sous la poussée de René Vietto, ancien groom du Majestic.

Dans le Tour 1934, le jeune Niçois monte comme un oiseau, le plumage immobile sous les battements. Il est beau, ombrageux. Il déplace un torse petit et des jambes foncées au soleil de Vence. Il foudroie d'un œil angélique – le fond de pupille est d'ébène brûlé. Il suit l'idée qu'il s'est faite de la noblesse en portant des malles sur la Riviera. C'est un Mozart de dix-neuf ans avec un tempérament de bélier. Vietto avance sans un rictus ; il esquive la montagne à la façon des princes miséreux. Il ne subit pas. Il contourne les lois de la douleur et joue son poids, au mode pastoral.

C'est un cerveau précoce trop irrigué, un pèse-nerfs. Vietto a pensé la géométrie de son vélo. Il pédale haut en selle et sur l'avant, s'élevant sur soi avant d'escalader le monde. Il pédale de la pointe. On lui voit un guidon très bas sur des pentes extrêmes – soudé sous une potence de piste. Théoricien des garrigues, il invente l'aérodynamique de côte. Vietto atteint en montant des vitesses énormes ; des énormités lui viennent à la bouche. Il parle comme Raimu et prétend voler. René dit freiner dans les virages de col. Ses chaussures noires sont percées de trous pour mieux sentir le vent. Vietto invente la vitesse, alpestrement, et une fluidité. On lui doit la première approximation cycliste de la grâce.

Il est le premier roi de la montagne.

Bartali le suit. Bartali le conteste et lui mange l'assiette. Gino Bartali arrive sur les montagnes d'Italie et de France, la peau plus sombre que celle de Vietto, et ce nez de boxeur ; il est moins fin, son geste n'est pas si beau. Son règne coïncide avec celui de Mussolini et du dérailleur, qu'il actionne en acrobate, remuant des manettes basses et des tenseurs, dans des rétroflexions de yogi. Double candide du gros Benito, l'un cerclé de chairs, l'autre de muscles surnuméraires, Bartali est croyant et plus pur que Vietto l'orgueilleux qui ne croit qu'à soi et au communisme, malgré sa mégalo. Gino Bartali le pieux adorateur de la Madone saccage la féerie du petit Provençal. Il est superstitieux. Il utilise un dérailleur Victoria. Il roule des épaules larges de maçon, procédant par saccades et par bonds. Sur des boyaux D'Alessandro séchés à l'air de Toscane, Bartali invente le sprint d'altitude. Il pousse un 48 × 23 de terrassier, saute d'un virage à l'autre, dans la quête d'une alvéole, comme s'il cherchait sur le calvaire des Alpes un recoin où pendre des ex-voto.

C'est un traditionaliste.

Dieu l'aimante dans l'élévation et le protège de la chute. Dans les descentes où il freine peu, Bartali établit sa preuve mystique. Il croit au destin, un destin taillé à sa pogne de paysan canonisé. Il mesure un mètre et soixante-dix centimètres. Il entre facile sur un médaillon. Il est le premier génie montagnard à faire miracle en côte, en descente et au sprint. Il gagne en 1938 et dix ans plus tard, sur les ruines de la guerre. Ses admirateurs embrassent la route sur son passage ; les femmes jettent sous sa roue des pétales de roses.

Puis vient Coppi, géant maigre ailé, d'une maigreur moderne, une variété d'athée double carburateur. «Maigre comme un os de jambon de montagne», a écrit Orio Vergani dans une image paysanne. Avant que Curzio Malaparte n'avance l'hypothèse d'un homme métallique irrigué de pétrole. Il va falloir longtemps pour comprendre que Coppi est de l'époque nouvelle. C'est un paysan comme Bartali, que saisit la folie de la vitesse au moment où le pays se débâcle. Coppi incarne l'Italie névrotique, terre d'agricoles et de futuristes. La fuite l'anime, une obsession à s'évader. Coppi veut sortir de l'abîme créé par le fascisme. Il fuit la misère et cinquante années d'un siècle violent. Il a dans l'esprit comme Céline de s'extraire de la limaille, de l'enfer des fourmis ; il fuit l'usine, le salariat du *lumpen* milanais, toutes choses promises aux enfants pauvres du Piémont. Il n'est pas creux de la faim, mais refuse ce pain-là.

Bartali navigue sur la vague d'un peuple dévot l'adulant dévotement sous une branche de buis. Ses mollets flottent sur la chaîne avec l'onction des doigts sur le chapelet. Coppi ne veut pas de cette religion muette à l'heure du ricin ; il a vu le désastre, les combats, les camps de détention ; il a fui la Sicile dévastée. Les bandes molletières épousent mal ses chairs absentes. Il est reparti vers son Piémont, une fesse sur le plateau d'un camion rempli de déportés et de prisonniers – la guerre a volé ses beaux printemps ; par quelle ardeur à vivre Fausto vole le record de l'heure, au vélodrome de Milan, sous les bombes alliées. Quittant la Sicile, sous la capote de soldat, Fausto manque de mourir deux fois. Un choc l'éjecte du camion ; il se réveille dans le fossé : il est vivant. Le camion gît dans un ravin, deux cents mètres sous lui : Fausto est en vie.

Coppi crée un style sous l'égide de la peur.

Fausto se construit sous l'empire de la mort.

Sur les routes du Tour d'Italie 1940, le canon tonne sur le Montgenèvre et Coppi le premier estoque Bartali. La guerre retarde le duel de deux hommes dans la force de l'âge. Coppi attend dix ans pour affronter Bartali devenu vieux. Les courses reprennent sur des sols chavirés. De la poussière surgit un fantôme à sa ressemblance : Fausto a signé un pacte avec le diable. Il ne vivra pas vieux. Fausto comme le Faust de Goethe approche les savoirs supérieurs. Il vivra vite. Il reçoit la science de Cavanna, un vieux soigneur aveugle à tête de boucher. Ancien boxeur bercé de mythologies non romaines, la syphilis l'a plongé dans le noir : Biagio Cavanna montre des pouvoirs froids. Cavanna isole les muscles longs, il protège le foie de Coppi. Biagio regarde le vide. Quand Coppi gagne, Biagio pleure derrière les lunettes noires.

Coppi et son Méphisto pactisent dans le rêve d'un homme-machine jamais vu sur les monts. Cavanna pousse ce corps maigre au-delà des limites connues. Biagio et Fausto en appellent aux arts magiques de la diététique et de la médication ; ils renversent les préceptes de l'entraînement et les principes de la stratégie. Aucune tactique raisonnée ne tempère leurs orgueils fabuleux. Cavanna se revanche du monde ; il s'allie aux forces du dessous. À Coppi d'approcher le cratère du volcan.

Cavanna vérifie chaque soir le foie de son Prométhée.

Fausto Coppi selon Cavanna dépasse Gino Bartali physiquement, il est plus jeune et fort. Il le dépasse philosophiquement. Bartali est un orthodoxe, il traverse des foules, c'est l'ami du pape. Coppi monte les Dolomites dans des aigus de pétrolette ; il s'étire vers les cimes sans mesurer autrui : il creuse l'inconnu. Bartali se plaît dans l'échauffourée : il admire la souffrance sur le visage des rivaux. Coppi cherche autre chose. Coppi advient au cyclisme sous le principe chimique de l'isolat ; il va seul.

La solitude est son vertige.

Ce ne sont pas un ou deux cols que Coppi passe en tête, mais des massifs entiers. Coppi élabore en montagne des échappées de cent et deux cents kilomètres. Il suit le théorème de Reverdy : « La vie est grave, il faut gravir. » Coppi devient le nouveau roi, le plus grand grimpeur de tous les temps. Il enlève au chroniqueur l'idée d'une comparaison. Finesse et délié – Coppi élève sa membrure de biche, l'œil celant une énergie noire. Coppi creuse les confins de sa membrure superlative. Sa technique tient du récitatif. Il impose une première accélération, qui sert de *specimen*, moins pour tester l'adversaire que pour mesurer son écho, dans l'attente du monologue. Après quoi Coppi accélère une seconde fois. Coppi s'en va et passe le domaine physique. Il se survit d'un style non inventorié. Épaules montées sur pilotis, bassin soutenu d'échasses, Coppi s'élève sur ses arrières : sa force de reins est phénoménale. Que les reins faiblissent, la souplesse supplée. Nonchalance féroce, morne mélancolie d'une jeunesse soumise à l'examen des choses abstraites : la vitesse vécue comme une abstraction – la vitesse, et le deuil comme corrélat. Coppi porte l'*hybris* des anciens, justifiant les

sciences de Cavanna. Il demeure serf de sa manière :
le pacte condamne à s'éloigner des humains et de soi.

Alliés dans l'exagération, Coppi et Cavanna
lancent des défis. Savent-ils eux-mêmes où ils vont ?
Ils phosphorent dans le vide qu'ils ont créé. À jouer
les messagers, au mépris du destin, ils nient la Provi-
dence, un flacon de gomme laque au bout des doigts.
Un mécano de légende les suit, Pinella de Grandi,
qu'on appelle « Pince d'or », affecté d'un don à déchiffrer le métal et l'âme des boyaux. Coppi avance sur le
Stelvio entouré de motos, suivi de *Pinza d'oro* qu'un
tournevis prolonge.

Coppi est une mécanique – une figure du Gréco
perdue sur le monde déchristianisé. Un homme seul
sous le maillot *biancoceleste,* qui ne croit plus qu'à la
vitesse dans l'obsession d'aller. Il y a quelque écho en
lui du rénégat – le piment de Marinetti. Bartali se
trouvait des raisons dans l'effusion ; il se faisait une
loi de gagner toujours à Briançon, comme en pèlerinage : il touchait des mains. Il existe sur les remparts
de Vauban une plaque à son nom. Coppi reste dans
la mémoire l'homme de la solitude sèche et du péché.
Un nihiliste exalté, il est Faust vraiment – sous un
reflet de gomina.

Sa légende goethéenne un rien trafiquée est
devenue la vérité du cyclisme, étymologiquement.

Son aura s'augmente de l'adultère et du scandale.
Faust s'élève sur les caractères gras des journaux. Une
égérie de pacotille. Ses incursions vers l'inconnu
prennent fin dans la loge des concierges. Coppi se
survit en homme du péché. Son génie se voile au
changement de lit. Coppi retombe dans les filets de la
chrétienté. Par quelle allégorie se prend-il à chuter ?

Il sombre, il choit physiquement, il s'effondre à chaque course, il se fracture de partout. De plus qu'humain, il bascule aux frêles ébauches de l'avant-création.

Coppi rompt ses os en verre de Murano.

Quand Bartali s'écroule et se relève, c'est dans le grandiose ; il saute d'un pont, surgit d'un torrent de montagne et remonte à vélo ; ses culbutes donnent la matière de plaques votives. Les chutes de Coppi sont empreintes de médiocrité, d'une banalité presque domestique. Coppi est moderne dans la frénésie, banal dans les aléas. Descendu de vélo, il ressemble à l'albatros, il ne ressemble à rien : une bête voûtée sur un buste en tonnelet, les jambes maigres, des bras de nerfs et d'os, le nez trop long. Mais, à le voir grimper, on subit une fièvre proche de l'extase. Athlétique dans la tristesse, saturnien dans l'élévation. Coppi est le symbole héraldique du grimpeur.

Sa splendeur dans les ascensions n'a pas d'équivalent.

C'est un Iago nabot échappé d'une fantaisie shakespearienne ; il dénie le magnétisme du héron italien. Il est aussi petit et vilain que Coppi est long. La beauté des autres est une injustice. C'est un pantin hydrocéphale, front large, les oreilles décollées, une gargouille avec des lunettes de soudeur dessinées en hublots. Il s'exprime comme un guichetier et n'en a rien à taper, du chevalier tragique, de ses jambes d'Alcazar, de ses fines lunettes dont on ne sait si elles sont du jour ou de la nuit. Cabochard belliqueux à l'image du peintre Gen Paul, l'ami jaloux de Céline et cul-de-jatte maléfique, installé au fond de sa barquette dans *Féerie pour une autre fois,* à lui envier sa gloire et sa femme danseuse. Ce nain est un reliquat de littérature médiévale. Il veut entrer au panthéon, quitte à suivre le conduit des eaux. Il n'a peur de personne. Il s'approche du pédalier de Coppi, rien à foutre, et lui démarre dans la gueule, à bout portant. Il mesure un mètre soixante, plus un centimètre, et il veut exister. Nom : Robic. Prénom : Jean. Tartarin, rodomont, Robic flingue dans le Ventoux, plastronne dans L'Alpe-d'Huez où Coppi le dépasse sans le regarder.

Deux bidons de plomb le lestent en descente. Il se désaltère d'un mélange de sa composition, deux tiers d'orge grillée et un tiers de calva à soixante degrés.

Robic est mû d'une force immense. Ses cannes courtes sont un outrage. La laideur est son moteur. Il a vissé ses pieds à des manivelles trop grandes. Il vit dans la folie de se hausser. Il désire la montagne pour se grandir. Robic tombe plus encore que Coppi. Sa tête grosse frappe en premier. Des casques difformes dans le style mérovingien rendent mieux visible ce bafoué amoureux de la foule. Sa rage disgraciée provoque des émotions. «Tête de cuir», «Tête de bois», «Tête de verre», «Fatalitas». Les femmes aiment sa vilenie devenue belle et l'appellent «Biquet».

Robic ramène le cyclisme au brouillon d'avant-guerre. Il balaie les épures de Vietto et Coppi, stylistes mon cul ; Robic pédale de travers, oui, mais il en veut, vaincu par le sort, certes, mais vengeur – avec une pointe de vulgarité. Il est l'image de la France à la Libération. Il se dit l'égal des plus grands. «J'accroche une remorque à mon vélo, j'y mets ma belle-mère et j'arrive encore premier en haut du col.» Il gagne le Tour de France 1947 où Coppi et Bartali ne sont pas ; où Vietto, sûr de gagner, s'effondre. Robic si pauvre. Il a promis la victoire à sa fiancée en guise de dot.

Il roule sur un vélo « Génial Lucifer ».

Je ne l'inclus pas dans la caste des grimpeurs supérieurs. Il augmente en miroir le portrait de Coppi. J'ouvre une pétition pour entrer son masque mortuaire au Carnavalet. J'en parle par admiration, une vie pareille il fallait oser. L'art de grimper connaît par lui une régression.

Vietto, Coppi, Bartali et Robic dans ses frasques mineures passent la main ensemble à la fin des années cinquante. Ils ont le temps d'apercevoir le plus rapide escaladeur jamais vu sur la terre.

Ce n'est pas un hégémonique. Sa domination en montagne hésite entre le zéro et l'infini. Il foudroie mieux quand il fait froid et pluie ; il n'en fait pas une affaire d'État. Il n'est fils de personne. Il est beau, dans le style chérubinesque. C'est un corps bref à haute motricité. Un « dynamiteur archangélique », ainsi que l'écrivait Gracq à propos de Lautréamont.

Le petit Charly Gaul arrive du Luxembourg, enclave sans montagnes. Des yeux clairs, des membres blancs étirés dans l'atelier d'un porcelainier. Un câble de téléphérique passe sous ses jambes dans une parodie d'hypostase divine. Son apport à l'art de grimper consiste en un démarrage vertical issu des vignettes de la catéchèse. Les témoins parlent d'une impression d'élévation instantanée. *Infans* non causé, il va vers le très-haut avec l'ardeur vibratile des libellules. Il monte à presque trente kilomètres-heure sur un braquet centrifuge – allure jamais observée.

Le record établi par Charly Gaul en 1958 sur l'ascension chronométrée du Ventoux, le col le plus dur du monde (1 h 2 m 9 s), a pu être battu quarante ans plus tard par l'usage de vélos de cinq kilos plus légers, grâce à un sol plus lisse et des solutions oxygénantes, des composés hormonaux et des antidouleurs en quantité suffisante pour subir l'ablation d'une jambe en finissant les mots croisés.

Charly Gaul gagne moins que Coppi et Bartali ; il est moins romantique que Vietto. C'est un ange déguisé. Un castrat nerveux sustenté aux amphètes. Avant de faire le coureur, Charly a été chevillard, un tueur certifié, aux abattoirs de Bettembourg. Le Flamand Hans Memling a laissé un tableau de Gaul daté de 1480 : *Ange brandissant une épée*. Quand la course lui échappe, Gaul hurle à ses adversaires qu'il va leur faire la peau. *Angelo della montagna*. C'est un bibelot avec des grâces d'assassin. Un poète buté. Roland Barthes l'a comparé à Rimbaud.

Federico Bahamontes de Tolède est au temps de Gaul le seul humain qui lui soit comparable. Mais Bahamontes escalade dans un style caprin désordonné, secouant ses parts, l'échine levée vers les feuilles tendres, tournant la nuque comme si ses arrières brûlaient. Il tend un cou long compliqué de couleuvres palpitant sous la peau. Il va vite, dans une anarchie qui fait mal. Arrivé sur les cimes, il écoute le vent ; il s'achète une glace à la vanille et pâture sur le col, en attendant. Comme il ne sait pas descendre, il reste sur l'échelle. Jean Bobet le lettré l'appelle « Fédé le fada ». Bahamontes n'excelle qu'en côte. Plus qu'un grimpeur, c'est un côtoyeur.

Gaul et Fédé ont chacun volé un Tour de France au nez des coureurs complets. La manière est révolue de Bartali et Coppi, suréminents partout. Les nouveaux rois de la montagne sont des ouvriers spécialisés. Ils font leur numéro et quittent l'usine en fermant le placard. L'aura mystique est perdue, et la paranoïa, qui étaient signes de la vocation.

Je passe vite sur Van Impe Lucien, un soupçon inférieur aux précédents – une psychologie liquide sur un corps de lilliputien. Je passe sur Lucho Herrera, l'Indien tanné, qui promettait beaucoup, que Bernard Hinault dépeça. J'en laisse un nombre au purgatoire; s'y disputent ceux qui émeuvent moins.

Je n'oublie pas Luis Ocaña de ma jeunesse, si grand et ténébreux; si grand par cet orgueil épuisant qui épuisa son corps, d'une grandeur souveraine en quelques rares moments; si pur incandescent. Ocaña fut le plus beau tempétueux, un Espagnol subjugué classiquement par la mort, les armes et les vélos légers embellis d'orfèvreries aux ajours délicats. L'affrontement l'émouvait comme m'émouvait ce cœur noir affronté à la pâleur de Merckx, qu'il haïssait de haine vraie. Luis Ocaña monta haut un corps vite brûlé par la folie et les excitants; il abattit Merckx au présent de l'indicatif; il accomplit sous l'orage, dans le col de Mente, la chute la plus belle et tragique, dépassant dans la tragédie les belles embardées de Coppi et de Bartali.

C'était un Castillan qui aimait peindre à l'huile et guerroyer à froid; un maximaliste que la misère et le franquisme avaient exagéré. Son prénom véritable était Jesus-Luis. Il aimait le verbe «flinguer», conditionnel et subjonctif excédant sa conjugaison. Ce flagellant à manches courtes entraînait un bestiaire de métaphores guerrières. L'énergie qu'il montrait affolait la végétation; les bruyères à son approche sombraient fleurs contre terre ; les herbes fléchissaient sous un souffle mauvais. Luis aimait la tempête qui consume les dedans ; il produisait des feux. Il se levait le matin avec une pensée d'assassinat. La montagne lui offrait des occasions de tauromachie. Quand la bête était achevée, il défaisait les épingles du dossard et les plantait à vif dans sa cuisse. Il aimait ces sortes d'illuminations. Les violents envers soi sont passibles du septième cercle et deuxième giron, aux enfers de Dante. Luis se tua d'un coup de fusil. Il n'avait pas cinquante ans.

J'arrive au terme de cette numération de rois montagnards tous dissemblables, isolés dans le souvenir par une fosse de vide. Qui est le plus grand ? Il faut imaginer un escaladeur issu de ces glaises variées. Une synthèse plus qu'humaine. Un golem au mitan de la statistique. Un mètre soixante-douze, cinquante-sept kilos. Le cœur à quarante pulsations. Ce grimpeur multiplié possède de Charly Gaul la splendeur rotative, de Luis le goût du sang. Descendeur fluide, attaquant superstitieux comme Bartali, il alterne la grâce et les provocations de Vietto. Il a les oreilles décollées, les grimaces diablotines inspirées de Robic. Il est fidèle au modèle romantique selon Fausto ; il aime les envols, les actions impromptues et il chute souvent. Vie prompte, mort brève. Ce grimpeur *redivivus* se complète d'une fin homogène aux destins de Fausto Coppi et Luis Ocaña.

L'art de grimper se coagule en Marco Pantani, d'espèce satanique, qui fait synthèse et conclusion. C'est un recycleur de génie, paraphrase des précédents – sinon qu'il foudroie dans le temps où le sang devient faux. Oreille percée, épiderme tatoué, Marco Pantani passe le Galibier et le Mortirolo en contrebandier, chargé de globules trop lourds. Il trouble la vérité de l'ascension. Sa grandeur le corrompt. Ses *jumps* limpides s'achèvent en précipité. Pantani se fond dans une nuit remuée de flashes et de *carabinieri* – son génie se dissout. Aucune mystique ne résiste à la rhétorique du sang pollué. Marco Pantani meurt de la cocaïne, suicidé sait-on dans un hôtel de peu comme Monroe.

Alfred Jarry

Jambes arquées de jockey. Obsession pour les armes à feu et la bicyclette. Ce qu'en dit sa sœur. Jarry est jeune, presque nain. « Brillants examens avec dispense d'âge. À 5 heures du matin, le café au lit avec les dictionnaires, bicyclette, guitare, avec des squelettes blancs sur fond noir qui jouent au clair de lune – son œuvre – carabine. »

Le vélo est l'arme secrète pour entrer en littérature, férir et mettre à bas. Quoi planter sur le compost symboliste ? Ubu prend le trône, bêtise lourde. Jarry l'inquiétant, sur le vélo courbé, redonne au poète le sens de la flexion. Agression vitale. Guerre à Schwob et Remy de Gourmont, érudits sous cloche. Paralysie du verbe. Trois mille ans de lyre pour en arriver là… De l'air !

Jarry sort le bicycle du catalogue des manufactures. Ce fait que cyclant, « on vive et ne pense pas ». Moderne l'art aux mains des saltimbanques, danseurs déclassés, cabaret primate et le clown minable – l'artiste à neuf saboule la noblesse de l'art. Vitesse. Coup de lame. Bandonéon crevé. On aperçoit le poète sur deux roues. Il parle froid, mécaniquement prononce toutes les muettes. Le vélo noir de Jarry est l'ouvroir démonial, le tranchant libertaire d'où sortent Dada, Artaud et la bande à Breton.

« Immuablement revêtu d'une redingote et chaussé de souliers de cycliste, il se tenait digne, dans un café de la rive gauche, devant une absinthe ou une bouteille de stout, quelle que fût l'heure, apportant dans ses dérèglements une discipline et des principes. Il vivait, la plupart du temps, dans une maisonnette qu'il possédait au bord de la Marne ou à Paris, dans un petit appartement de la rue Cassette, faisant la navette entre ses deux logements, monté sur une bicyclette, de jour ou de nuit, voire sous la pluie battante. D'ailleurs, poursuit Charles Doury, il aimait à se montrer sous l'aspect d'un sportsman. Il se plaisait à raconter les raids qu'il avait accomplis dans le temps le plus court, et à une allure défiant celle des meilleurs coureurs. »

Le 23 mars 1889, Alfred Jarry s'inscrit à la section lavalloise du Vélocipède Club. Sa sœur note où et quand il s'enfuit de l'étude. « Un jour, porté malade, il fait la course de vélos à Rennes. » Ubu saute à la face, dans l'époque exacte des premières classiques cyclistes.

Jarry exacerbe le cycle, antidote technique, vaccin et panacée contre les excès machiniques de la civilisation. Ses acrobaties, ses chevauchements verbaux toujours raides, sa manière crissante sont d'un homme de roue. Le maître est Mallarmé. Jarry veut détruire le cadre de la poésie, pas celui de son vélo noir à raccords d'acier. Mallarmé aime cette écriture machinée en « phrases droites et courbes ». Héritier d'un peu d'argent et de quelques maisons à Laval, Jarry parade à Paris, mais laisse impayée la facture à 525 francs du Clément-luxe (jantes bois 20 fr. en supplément) avec lequel il se rend, pneumatiquement, aux obsèques du maître.

Le vélo permet de sortir le corps, esprit et jambes, du désert mallarméen.

Il est de peu ce corps, retiré du régiment pour «lithiase biliaire chronique». Jarry chausse du trente-six, mais résiste à des doses d'alcool continues et terrifiantes. Absinthes, éthers, Jarry se multiplie dans le dopage sans contredit : il est premier et dernier philosophe en cyclerie. En 1902 paraît *Le Surmâle, roman moderne.* C'est l'histoire d'un cycliste phénoménal. Tout est dit et prédit de l'exploit cycliste surhumain, des médecines drolatiques. Ainsi le *Perpetual-Motion-Food* – «petits cubes incolores et cassants, âcres au goût». Jarry a un siècle d'avance sur le dopage du sang. Jarry bat le train entre Corbeil et Paris. Il réclame du quinium et des glycérophosphates pour vaincre la neurasthénie. Il pressent le cyclisme et ses complications vers «l'illimité des forces humaines». Un an avant sa mort, il exige son vélo, des noix de kola fraîches. Le «*sprint* de Jacobs mort fut un sprint dont n'ont point d'idée les vivants».

Qui cycle amorce ses infinis et roule vers l'outre-là.

L'efforcement maximal dispose à «l'éthernité».

Son docteur Faustroll est un envers d'Ubu, proche du Monsieur Teste de Valéry, ils viennent la même année, deux ans avant le siècle ; Faustroll est un être de tête, Faust roulant, la préfiguration de Fausto Coppi. Le cycle attire Jarry le nihiliste comme aberration et champ clos du *maxima* humain.

Jarry invente la pataphysique, la science des exceptions.

Jarry invente «les courses de bicyclettes dans le vide».

Il invente le *vacuovélodrome* – vélodrome du néant.

Jarry va toujours et partout en culotte cycliste, ce que ne font pas les surréalistes ses descendants, toujours vêtus mortuairement et disons-le net absolument nuls à vélo, à commencer par ce gros cul de Breton. Jarry l'*outcast* se présente à l'enterrement de Mallarmé sous une redingote juste correcte, il porte des souliers féminins couleur jaune poussière. Mirbeau le dandy s'offusque du pantalon souillé sur les chemins, entre Corbeil et Valvins, «par la nef de la forêt». Mais ce jour-là Jarry souillé de ses pleurs est réellement le plus triste.

Jarry est le concepteur du cyclisme comme extrémité. Il meurt misérable en 1907. Quatre Tours de France sont commis. Il voulait s'éteindre en 1906 – alcool et spleen, se laisser sécher, pour faire le compte à trente-trois ans comme. À sa suite s'engouffrent Apollinaire, Picasso et Marinetti, les extrémistes qui vont vite.

Antilyrique sec, Marcel Duchamp a lu son Jarry en entier. Sa roue de bicyclette emmanchée est de 1913, premier *ready-made* de la modernité. Dans *La Boîte de 1914* figure un profil de cycliste ascendant, dessiné au crayon et à l'encre de Chine sur une portée musicale, contrecollé sur un carton rigide au format 27,3 × 17,2 cm, étayé d'une légende obscure : – *avoir l'apprenti dans le soleil* –. Duchamp dit peu. «Légende d'un dessin représentant un cycliste étique montant une côte réduite à une ligne.» C'est un portrait de Jarry, son tuteur en farces algébriques. C'est le graphique d'une définition que Jarry donne du vélo, dans le compte rendu du *Cyclo-guide Miran illustré*, paru en 1896 dans le *Mercure de France* : « l'émotion esthétique de la vitesse dans le soleil et la lumière ».

Le vélo engendre un art de la *performance,* c'est un nouvel organe. Jarry s'enchaîne au théorème comme Ixion à la roue. L'humain « s'est aperçu assez tard que ses muscles pouvaient mouvoir, par pression et non plus par traction, un squelette extérieur à lui-même et préférable locomoteur ».

Le vélo est « un prolongement minéral de notre système osseux, et presque indéfiniment perfectible, étant né de la géométrie ».

Voici les mots de Rachilde l'amie romancière, femme d'Alfred Vallette, le directeur du *Mercure de France* : « Alfred Jarry, vêtu, en effet, comme un coureur cycliste ayant roulé dans la poussière, petit ou trapu, ramassé sur lui-même, tout en muscles, me parut un animal dangereux. Il ne racontait pas encore d'histoires merveilleuses, mais il montrait un masque pâle, à nez court, à bouche durement dessinée ombrée d'une moustache couleur de suie, aux yeux noirs lui trouant largement la face, des yeux d'une singulière phosphorescence, regards d'oiseau de nuit à la fois fixes et lumineux. »

Alfred Jarry est l'antécédent des champions à venir.

Le modèle proto-historique du forcené.

forcené, ée / for-se-né, née / adj. Qui est hors de sens, hors de raison. Fin XIᵉ s. (*forsené*) «fou»; pris à tort pour un dérivé de *force,* d'où le *c* au XVIᵉ s.; participe passé de l'ancien français *forsener,* «être hors de son bon sens» et par ext. «être furieux», de *fors,* hors de, et de l'allemand *sinn,* sens. Animé d'une rage folle ou d'une folle ardeur. Se dit encore d'un cheval emporté et furieux.

forcènerie /for-sè-ne-rie / s. f. Acte de forcené. XIIIᵉ s. Quel forsenerie te maine A cest torment, à ceste paine? *La Rose,* 8783.

L'ART DE DESCENDRE

Je descends comme un fer.

Je regarde le boyau.

J'écoute chauffer les freins.

J'ai peur.

Je perds dans le dévalement le peu gagné dans l'ascension.

L'art de descendre est un mystère auquel j'accède par téléphone. J'appelle Lucien Aimar, le plus grand descendeur de tous les temps. Lors d'une étape incluant le Ventoux, rude à gravir, pire à descendre, Aimar a établi un record. Dans la ligne droite plongeant vers Malaucène, sur un plan incliné à dix pour cent, Aimar a dépassé un motard de la gendarmerie dont le compteur marquait cent trente. Chaussé de boyaux de soie Clément insusceptibles d'explosion, cheveux fixes sous le vent, le Latin frisé a roulé à cent quarante sur un vélo – sans casque, sans lunettes. Il a établi un record en pleurant.

C'était dans les années soixante. La vitesse était un rêve. On filochait sans ceintures en Citroën ID. Un Espagnol avait été pisté à cent vingt-trois. Une seconde plus tard, il était au fossé ; son exploit ne compte pas. Le descendeur n'entérine le péril qu'à proportion des chutes qu'il a su éviter. Aimar est catégorique. Le maître descendeur est celui qui ne tombe jamais : il traverse le nuage des moucherons ; paupière fermée, il évite un frelon lancé au maximum de la balistique.

Lucien n'est jamais tombé.

Comme les illustres dévaleurs qui l'avaient précédé, les Bartali, les Bini, les Vietto, Lucien Aimar ondulait sans toucher les manettes de frein. Il flottait sur le danger. Les vrais descendeurs regardent loin devant. Ce sont des âmes émanées. Ils vont à côté du corps ; ils ignorent leurs mains. Ils lisent le sol à la façon transverse des rapaces, détaillant sans voir, scrutant sans détailler. Ils vont aveugles au virage, penchés sur un trait d'air – jugeant du risque selon le sifflement bref ou long des boyaux.

Au revers de l'ascension, la descente est une ivresse, c'est un symbole, celui de la Chute. Les descendeurs théorisent des ombres et s'inventent au virage ultérieur, dans un simulacre de divination. L'invisible les absorbe. Ce sont des spéculatifs, tous crins au vent. Ils plongent dans l'abstraction. Ce sont des voluptueux qui se laissent aller.

Lucien Aimar ne gonflait pas ses boyaux à 6,8 kilos comme il était d'usage. Il gonflait le boyau avant à 6,5 et le boyau arrière à 7. Il pénétrait le virage en Bourbon, fort d'une mollesse supérieure ; il s'extrayait en danseuse, avec la magnitude du boulet. Il se calait sur un braquet médian de 52 x 15, efficace pour achever la courbe avec nerf. Ce prince tempéré redoutait la pesanteur du 52 x 14 ; l'affolement du 52 x 16 l'indisposait.

On lui doit une charte. Ne pas pédaler dans les lignes droites. Arriver à fond dans le virage. Surgir à son extérieur. Freiner en compression. Relâcher la manette en pleine courbe, susciter un effet de relance, élastiquement. Fendre par le milieu. Regarder l'au-delà. S'exfiltrer par la lisière opposée, sans mordre l'alluvion des sables et des graviers.

Personne ne le suivait. Le risque lui était jeu. Et le jeu, une drogue. Comment l'expliquer ? La descente engendre un trouble de la perception. C'est une folie. « J'étais descendeur fou. » Aimar perdait cinq minutes dans l'Izoard, grignotant un biscuit ; il en avait repris quatre à Briançon. Au faîte de sa condition, Aimar conservait une courbe de ventre qui lui faisait un lest. Il descendait pépère, à la vitesse du vent. À cent kilomètres-heure, sourire en coin, Aimar suivait la bave des grimpeurs. Il poursuivait sa digestion, posé sur son boulet.

Humilié la veille par Luis Ocaña sur les pentes d'Orcières, Merckx décida de se venger. L'étape alpestre débutait au matin par une descente. Merckx voulut se venger où Luis l'avait vaincu. Il était convenu que ses acolytes dévaleraient à fond dès le départ ; Merckx se cacherait derrière eux et punirait Ocaña. Il pleuvait. Lucien Aimar revint à la voiture. Il enfila son imper et vit Merckx bras nus. La guerre couvait. Le temps que Lucien ôte l'imper, Merckx et les siens avaient brûlé le départ, du jamais-vu ; ils avaient anticipé le mouvement de drapeau.

Aimar le frisé brun plongea dans le vide en dernier, tout secoué de rage ; il doubla un à un les cent cinquante coureurs, qui tous étaient à fond ; il passa Merckx en hurlant qu'on ne la lui referait pas ; se laissa choir comme une pierre à hauteur du premier, son rival unique, Marinus Wagtmans, son antithétique – un blond frisé. Aimar donna ce jour la preuve qu'il était le plus grand, un fildefériste sans balancier.

Seul, sur la Côte, Aimar s'effrayait. À ne plus trouver sa limite en course, il la chercha à l'entraînement. Sur les hauteurs d'Hyères, au sommet du col de Babaou, il lâcha le guidon, se gouvernant du corps, s'adossant au mistral ; il fit l'entière descente sans toucher le frein. Sauf une fois. Il vit où la mort rôdait. Un matin qu'il parcourait les articles de *L'Équipe*, Aimar lut qu'un coureur avait perdu huit minutes sur les premiers dans l'ascension du Turini ; qu'il en avait repris huit dans la descente : il avait dévalé à une vitesse double des échappés. Aimar lut un nom. Ce coureur, c'était lui. Lucien prit peur et mit le vélo au clou.

Descendeur vedette de l'avant-guerre, Jean Fréchaut se souvient des routes de France, quand les montagnes présentaient le détail de mondes indéchiffrés. À la bascule du col, les coureurs se consultaient et choisissaient un bord : à l'un la falaise, à l'autre le ravin : la lacération ou les contusions.

C'était l'époque des premières jantes d'aluminium ; les roues chauffaient. Il était impossible de décrire des courbes artistes à la Lucien. Les boyaux explosaient. Il fallait s'accrocher au guidon sur des éboulis ; serrer entre les cuisses des vélos qui tremblaient d'une terreur égale à celle des humains.

Jean Fréchaut n'appartenait pas à la race des descendeurs fous, mais à celle des inconscients. Il faillit sombrer sur la pente du Tourmalet. Lapébie hurlait derrière lui : «Tu vas te tuer ! Jean !» Fréchaut attaquait le virage en skieur, les courroies serrées à rendre le pied blanc ; il imitait le mouvement de slalomeur, forçant sur les boyaux ainsi que sur des carres. Fréchaut inventait un rail. Il descendait ferré à glace. Il laissait au sol l'empreinte d'un métal. Ce n'était pas un puriste. Il cassait des rayons.

Magni, Astrua et Nencini furent les plus grands dévaleurs, Adorni et Van Looy, puis Moser et Vichot qui ne brillait que là. Anquetil, Merckx et Hinault déployaient dans les descentes une adresse maîtrisée. Merckx lâchait la moto de la télévision italienne en dévalant le Poggio, dans le final de Milan-San Remo. Quand l'écran était vide, montrant une route déserte, des spectateurs ballants, c'est que Merckx allait vers la mer dans un plongeon.

Qui se souvient de Canardo ? Il gagna de petites étapes dans d'extrêmes provinces. L'Espagnol marauda plusieurs Tours du Maroc, coupant à travers oueds la descente du Tizi-n-Test. Il laisse une œuvre mineure, à la sous-section des orientalistes.

Qui se souvient de Guy Buchaille – seul à qui bûche aille ? Ce n'était ni un vrai descendeur, ni un authentique malhabile : il se fit un nom par des chutes aériennes pleines de brio. Il fut une sorte d'esthète parmi les fracassés.

La descente réduit le privilège des grimpeurs peureux, elle fait calvaire aux maladroits. Vicente Trueba, Benoît Faure, Jean-Marie Goasmat, Apo Lazarides, Le Guilly, Martin Van Genechten furent escaladeurs excellents, les descendeurs les pires. Bahamontes était grandiose d'un côté, pitoyable de l'autre. Il doublait la mise sur le rouge et perdait tout sur le noir, dix minutes plus tard. Ces déplumés persévèrent dans un rêve icarien toujours foiré. Certains

73

ont la peur du sang. D'autres craignent la foudre ou la griffe des loups. Le moins habile de ces mangeurs d'herbe se nommait Wim Van Est. Les descentes lui étaient un dialecte étranger. On le voit sur les magazines anciens, toujours à renverse, s'élevant d'un ravin, noué à des boyaux noués entre eux à façon de cordée, s'extrayant des crevasses où il tombait comme un plomb.

Bartali fut en son temps le plus extraordinaire grimpeur, un descendeur si beau. Il s'exprimait dans les deux langues, indifféremment. Dans le journal *L'Auto* du 24 juillet 1938, le chroniqueur note que Bartali a faibli dans l'ascension, mais s'est repris par miracle dans la descente de l'Iseran. «Il faut tenir compte du moral de Bartali en descente. Ce mystique a une confiance aveugle en sa destinée, car ses chutes, pourtant terribles, n'ont jamais été graves. Et Bartali ignore la peur. »

« TROMPE-LA-MORT »

On l'appelait «Trompe-la-mort». Il chutait pour un rien. Il pédalait avec un sourire, qui était un rictus – par la peur figé. Il cherchait l'équilibre. C'était un petit de Paris, un friquet sans ampleur, une bille de gentillesse. Entre Paris et Nice, dans la descente du col du Grand-Bois, il percuta un chien, qui passa sous lui et sa tête s'ouvrit. Il se fractura le crâne dans Paris-Roubaix et demeura six jours dans le coma, à l'hôpital de Beauvais. Durant le Tour de France, une voiture perdit les freins et l'entraîna sur la pente de l'Izoard – ventre ouvert et les reins brûlés par le pot d'échappement. À Dunkerque, en juin 1940, il flânait sur les dunes quand une torpille de huit cents kilos s'abattit près de lui, l'enterrant vivant. Une main sortait du sable. Il resta quinze mois hospitalisé, tympans rompus, regard mort. Il pensa se suicider, il reprit le vélo. En 1944, pendant le championnat de France en zone occupée, alors qu'il allait gagner, un camion allemand le faucha. Le 9 décembre 1946, il traversait Paris, retour d'entraînement. Sa roue se bloqua, place Saint-Sulpice, dans le rail du tramway. Un camion de l'armée américaine l'écrasa. Auguste Mallet avait trente-trois ans.

Les Flamands

Dans ses *Commentaires*, César juge les Belges le peuple des Gaules le plus courageux. Le ciel plus dense maintient sur le cœur une pression. Cette pression traverse le corps de haut en bas; elle laisse des joues creuses, elle fait les mollets ronds. Les ciels vénéneux s'écoulent sur la peau par le jeu des averses et d'un vent trop intime avec le cerveau.

Les hommes du pays plat s'incorporent les nuées lentes comme des vaccins. Le manque de chlorophylle les rend las et rugueux. Ils avancent sous un poids de ciel, tassés sous les nuages, dans l'indécision des terres et des eaux. À laisser traîner les yeux dans les fentes du goudron, ils montrent un teint de mauvais linge. Ils aiment les saules noirs manchots. Ceux de la mer ont de grosses mains.

Ce monde dans sa platitude permet peu d'égarement. Du Limbourg au Brabant, il offre ses sols à l'ordalie. Puis les reprend. Les arbres demeurent après la tempête. Le poète d'Ostende édité à Bruges aime cette tristesse maritime et d'hiver. Les cyclistes sortent de maisons adoucies d'un poêle et d'une véranda. Ils se retrouvent au matin malgré la pluie et pédalent jusqu'au soir. Ce sont des hordes à carapaces rigides que le froid traverse d'outre en outre. Rendus gris par la peine, ils passent les bourgs sans un bruit.

Ainsi s'éveille la Flandre, depuis que le cyclisme existe, parmi des vestiges d'hommes et des tronçons médiévaux. Le froid enserre les villages d'une tournure de brume. Des meutes errantes s'émeuvent de l'angélus et du carillon. À travers les vitraux des tavernes ondulent les gargouilles des duchés disparus.

Ce sont les Flamands.

La patience charge ces silhouettes du sentiment de l'illimité. Les Flamands cheminent dans une usure sans fin, entre les fermes et les canaux, infusés de mélancolie. Un mors invisible les tient, qui freine les paroles. Ils avancent, épaule contre épaule, sans jamais choir ni s'élever. Ils cheminent dans un couloir de vent, en équilibre sous l'asymptote des frôlements. Les Flamands ont acquis à survivre contre les éléments une adresse animale. Ils se nourrissent de rafales et du civet ascétique appris des mystiques du moyen âge finissant : une carbonade de ciel noir et de pavés, des rails de tramway mélangés à la boue.

Les cyclistes latins ne peuvent survivre de granite et de vent. Ils arrivent là-haut remplis d'une fierté mercenaire, comme les légions romaines hissées vers les Germanies. On les voit plier entre la fin de mars et le début d'avril. L'ardeur les quitte sur des sentiers meulés par le charroi. C'est le moment des Classiques. L'heure funèbre du Tour des Flandres, de la Flèche wallonne et de Liège-Bastogne-Liège, la course doyenne née dans le temps où Baudelaire s'écroulait d'un malaise, à Namur, dans l'église Saint-Loup.

Les Flamands si modestes et lents ont une liesse de retard. Ils sortent du bois dans la saison qui fermente : ils veulent une gloire de clocher à partager entre eux. Ne survit pas qui veut au septentrion. Les Flamands s'agitent sur les flots d'une digue rompue. Le ciel enveloppe les serments nés de la bière – les jurements mûris dans l'hiver trop long. Ils quittent la taverne en pleine nuit, ils posent un genou contre le pavé qui fera un calvaire aux étrangers. Ils vitupèrent les coursiers de salon, les Français toujours plaintifs et le peigne des Italiens. Les Flamands frappent la table ; ils exigent le reliquat : demeurer saufs sur les pierres et seigneurs sous le vent.

Les pavés de l'Enfer

Il y avait des héros. Il y avait des batailles. Il y avait ceux de Wallers-Aremberg, ceux de la première ligne. Il y avait des phrases dans le poste qui inspiraient la peur : « Les premiers vont entrer dans la tranchée de Wallers. »

Il y avait des phrases qui justifiaient la peur : « La moitié des fuyards a sombré dans Wallers. » Un dernier communiqué provoquait mon soulagement : « Le Gitan vient de passer sous nos yeux. Il est seul en tête à la sortie de la tranchée ; il vole sur les pavés. »

Il y avait le Gitan, volant sur le pavé, et les autres, dans son sillage, coagulés, qui s'y brisaient. Les pavés de Wallers-Aremberg sonnaient à mes oreilles comme le heurtoir des Portes de l'Enfer.

Après les corons, derrière le dernier panneau marqué Wallers s'ouvre un territoire inconnu, l'au-delà de la mine. Une sente pavée perce la forêt. Le bitume disparaît à l'orée d'un bois. Sauf le Gitan, qui dit sa soif d'affronter le mal, les coureurs grimacent sur des rochers ; le spasme des lèvres forme l'équation d'une terreur muette.

J'imagine Wallers hors du rituel de Paris-Roubaix. J'imagine ces parages vides, les arbres sombres, le moyen âge sous le cri des corbeaux et la patience de saint Thomas d'Aquin parti visiter un érudit flamand.

Je vois les photographes allongés dans la boue, amplifiant au *fish eye* la saillie luisante des pavés. Reviennent chaque année, sur plusieurs colonnes des journaux, le samedi précédant la course, les mêmes clichés de roches sécantes, boueuses, preuves d'une archéologie néfaste, de maléfices induits par les dieux pour briser net les roues ligaturées à Courbevoie par un mécano presque vieux.

Il y a ceux qui croient au paradis sans l'avoir vu, et ceux qui croient à l'Enfer du Nord pour avoir foulé ses pavés ; non les pavés courtois, jointés pour la parade des calèches – les pavés de Proust –, mais les blocs chus d'un obscur désastre, rocs issus du chaos primordial, retaillés, alignés de main d'homme : les aérolithes de Paris-Roubaix.

Les chroniqueurs du cyclisme croient aux héros ; ils pensent la puissance des sols. Ils ne parlent pas impunément de l'Enfer du Nord. L'expression est née sous la plume de Victor Breyer, l'envoyé spécial de *L'Auto*. Accompagné d'Eugène Christophe, il découvrait le paysage en ruines de la Grande Guerre. Il est au début des métaphores qui froissent l'honneur des gens de là-haut.

Ces images viennent de loin. Elles sont l'écho des voix qui assaillaient Dante quand il traçait ses cercles infernaux. Les métaphores gelées dans le bas de casse des journaux parlent d'un temps où les provinces n'existaient pas ; où seuls vivaient la terre et les cristaux de roche. Elles disent un temps où le Nord n'évoquait pas les visages d'anthracite, mais la part sombre du cosmos – quand l'alignement des corons n'avait pas été inventé.

Le fracas de l'Enfer du Nord, l'irruption des publicités dans le bourbier rural, la nuée des moteurs dans le silence de la forêt forme un cataclysme inouï annoncé de klaxons. Cette reprise télévisée des Chevaliers de l'Apocalypse ramène l'homme au Commencement.

Le Nord est inscrit dans les Écritures vraiment comme enfer.

Le cyclisme dans ses exagérations ressuscite les mots de la Genèse.

Les pavés de Wallers-Aremberg tiennent sur la glaise de l'Ancien Testament.

La locution hébraïque *tohou vawohou* – le chaos –, au deuxième verset de la Genèse, ne renvoie pas seulement à l'acception courante de tohu-bohu comme désordre, tumulte. Elle excède les vagues traductions françaises selon lesquelles *tohu-bohu* désigne le vide, l'informe. Pour Rachi[1], grand commentateur du texte sacré, « *tohu* signifie étonnement, stupéfaction (en français *estordison*). *Bohu* signifie vide et solitude. L'homme est saisi d'horreur et de stupéfaction en face du vide ».

Selon les légendes médiévales juives, selon les spéculations de la Kabbale, *tohu* est aussi le mal qui jette l'homme dans la confusion. *Tohu* est le Nord, et le Nord, dans la symbolique primitive (Jérémie, I,14), est accroché au mal : *Du Nord s'ouvre le mal.* Dans

---

1. *Le Commentaire de Rachi sur le Pentateuque*, Keren Hasefer, 1957, tome 1, p. 5.

le Bahir[1], texte fondateur du judaïsme, il est écrit : *C'est du Nord que se déchaîne le mal contre tous les habitants de la terre* [...] *Le* tohu *vient du Nord, car il n'est de* tohu *que le mal qui égare les hommes jusqu'à ce qu'ils s'adonnent au péché. Le mauvais penchant de l'homme vient de là.*

C'est une explication ; je ne l'ai pas proposée à Roger De Vlaeminck le Gitan, le prince des enfers, trop occupé à pêcher au carrelet dans son étang privatif.

Selon *Le Livre des secrets d'Hénoch*[2], qui garde la trace des anciennes traditions cosmogoniques, *bohu* symboliserait les *pierres boueuses plongées dans l'abîme.* Cette vision rejoint, dans le texte araméen, une paraphrase de Job (XVIII, 8) qui évoque les *pierres fangeuses d'où s'écoulent des ténèbres,* ainsi que les lignes du Zohar dans lesquelles *bohu* désigne les pierres de la lapidation, celles qui plongent dans le grand abîme pour perdre les réprouvés et les attardés du peloton.

---

1. *Le Bahir*, Éd. Verdier, 1983.
2. *Le Livre des secrets d'Hénoch*, édité par A. Vaillant, Institut d'Études slaves, 1932.

Roger De Vlaeminck

C'est ainsi que vous le verrez représenté. L'avant-bras sur le bras replié, comme un mètre de charpentier, l'humérus et le cubitus armant une suspension. Buste plat, poignet cassé à la façon précieuse des échassiers. Noir de poil et la peau sombre, vêtu selon le ciel de poussière ou de boue. Un profil en relief, sur le mode assyrien. Dos plat et tête plus basse que dos, sous le fléau du vent.

À l'icône s'ajoute la dérision de maillots acidulés aux couleurs des marchands de glaces et de chewing-gum. De Vlaeminck traverse une farce épique, manigancé par des confiseurs. Ce n'est qu'un séducteur de roches, un charmeur de granites.

Il produit un son contre les pavés qui n'appartient qu'à lui.

Un riff lancinant.

Roger De Vlaeminck est un braque hautain, sûr de son affaire. Un bouquet d'élégance et d'arrogance froides. C'est un Keith Richards, avec du mollet. Il s'est fait une gloire à onduler sur les sols en décomposition. Il y a mis un style. Il est devenu un champion moderne sur le vestige d'antiques voies. Il détient le record des victoires dans Paris-Roubaix. Quatre victoires en six ans. Quatre places de deux. Une place de trois. Et une seule crevaison.

De Vlaeminck est maître des pavés posés en vrac exprès, le Néron d'une Apocalypse pour de faux. C'est un joueur, virtuose et beau gars dans l'Enfer imité de Dante et des satanistes médiévaux. Les joues gouachées de boue, il fait le coquet ; le corps rayé d'un lisier recueilli au Carrefour de l'Arbre, il se regarde pédaler. La souillure des éléments lui fait un habit entre marron et brun. Charbonneux, solitaire, il s'enfouit dans l'indifférence, comme un cocher de cab sous la toile au coaltar. Il se détourne des applaudissements. Il fait la moue, la tempe dans les fleurs.

Keith Richards.

Ils jouent dos à la foule et n'en ont rien à faire.

Ces noirauds maniérés se survivent d'un rien. Ce sont des gitans de libre vie, des vagabonds. Ils avancent flambards sur un monde élastique. Nés avec un don et le grand orgueil qu'ils ont travaillés au secret, jusqu'à l'épuisement. Keith Richards n'était pas génial, au début. Il laissait des grincements dans son Chuck Berry. De Vlaeminck s'est multiplié comme Vinci dans ses polytechnies – s'appliquant au sprint où il fit exemple, s'ingéniant au cyclo-cross où il devint un roi, s'affinant à des ruses nombreuses où il fut sans égal. Il s'entraînait à tourner vite les jambes sur un braquet de pénurie. Puis il poussait les braquets énormes conçus pour écraser la course dans le dernier moment. Il voulait exceller à toutes les extrémités.

Il allait face à la mer, les os plus horizontaux qu'une géographie de là-bas. Il filait sur les rues de ciment à plaques non jointées. Ses épaules ne bougeaient pas.

Un buste agité fatigue les systoles, il appelle trop de sang. De Vlaeminck apprit à n'user ses vaisseaux qu'aux membres inférieurs. Entre Knokke et Sint-Niklaas, il répétait ses accords. Il ferraillait comme un maudit, rêvant au jour de Paris-Roubaix ; rêvant trop, il vivait n'importe où ; s'endormant à pas d'heure, il sortait de la piaule à 5 heures du matin et gonflait ses boyaux. De Vlaeminck ne jouait pas à la roulette sa préférence. Il vivait dans l'obsession unique ; cette rage n'a pas de nom : juste un jeton en poche, qu'il lançait en avril sur le noir de Roubaix.

C'était un irrésistible, un monomaniaque avec des rouflaquettes taillées en poignard ottoman.

Par lui s'ébauche le portrait du Flamand agité du vieux sang espagnol, une mêlée de rugosité et de fierté animale, la *feritas* des Latins. Roger De Vlaeminck aimait se perdre. Il était né dans le rien, où il se retrouvait. Son père Phil, dit Fiele, était drapier ; il épousa une gitane – des marchands ambulants. Ils traversaient les Flandres derrière deux gros chevaux tirant une roulotte chargée de mercerie, de casseroles, de rubans et de dentelles tissés l'hiver à la veillée, quand le vent hurlait entre les essieux. Roger est né près d'Eeklo, sur des roues en bois, entre Bruges et Gand, au bout du village de Kaprijke, sur l'aire de misère que laissent les bourgeois. L'empreinte à vie des chemins mauvais et l'odeur du froid. Le père Philibert fut bon coureur de ces courses allant de nulle part à n'importe où, qu'on appelle kermesses. Il augmentait son mois en livrant les journaux. Il s'était affilié à un syndicat. Gitan et syndiqué. Il était montré au doigt.

Ils dormaient contre le hurlement du ciel.

Roger suivait Erik, son frère aîné, qui avait le cheveu moins noir et l'esprit chahuté. Ils formèrent une flibuste terrestre. On les voyait surgir des champs de tabac. Ils allaient dans l'enfance en maraudeurs, hirsutes, mal aimés. Ils chassaient le rat et dépeçaient en fin de bourg. Ils vendaient les peaux à un ramasseur puis s'en allaient reluquer la vitrine du pâtissier. Ils dénichaient le merle entre les houblonnières ; ils préparaient le gluau pour les grives et des farces pour les paysans. Deux voleurs de pommes. Deux barraquins qui n'aimaient personne, n'étant aimés d'aucuns. Ronny Colpaert, le fils du marchand de cycles, eut pitié d'eux et prêta un vélo.

C'était en 1964. Roger avait dix-sept ans. La première course eut lieu en juin à Loppem. Il arriva quatrième. Quelques jours plus tard, il gagna pour la première fois, dans la cité de Quaregnon. Il revint à la roulotte avec cinq cents francs. Il donna une moitié aux parents, épargna le quart pour un vélo. Le reste fut consumé en gâteaux. Roger traversa en tous sens la province translucide du Meetjesland. Courut vingt-deux courses en trois mois. En gagna dix-sept, dont douze en solitaire. Finit cinq fois deuxième. Au coureur qui proposa des sous pour le laisser gagner, il répondit du poing, après avoir vaincu. Il ne pouvait rien acheter, mais n'était pas à vendre. Il rêvait d'être Van Looy et d'égaler son frère Erik, qui pédalait aussi, funambule des labours, le don en cyclo-cross, acrobate gymnaste et champion du canton à la grimpée de mât.

Ils mettaient le feu au pays, vengeurs, fiers, coriaces.

Des piégeurs de serpents.

Un seul gars pouvait les battre, Jean-Pierre Monseré ; il venait de Roulers. Il était grand, rieur et brun, escogriffe comme eux. Le même teint ibérique. Ils devinrent larrons sur le modèle du *Thyl Ulenspiegel* et scellèrent une alliance. Jean-Pierre et Roger à eux deux gagnèrent tout ce qu'il était permis de gagner. Erik le grand frère passa chez les professionnels le premier. Roger suivit, trois ans plus tard, après avoir fait plombier, imprimeur et le manœuvre dans une filature. Le meilleur coureur des kermesses gagnait chaque année une automobile ; Roger en rafla trois. Il draguait en Fiat Sport, laissant le surcroît à ses potes moins beaux.

Merckx maintenait un empire sous sa roue. Il levait des millions. Il était rond, il avait des joues. Il était de Bruxelles. Il proposa de rejoindre son équipe à Roger, qui refusa. Le Gitan voulait abattre ce poupon qui n'avait pas connu la faim et fiscalisait le peloton. Pour les trois Flamands, pactisant dans le vent et refusant l'impôt, Merckx devint le bourgeois, l'ennemi nanti à filouter.

Roger se trouva fin février au départ de sa première course professionnelle. Le Het Volk. Une course conçue pour mesurer la résistance au froid des humains et des métaux. Sur un vélo gelé, Roger De Vlaeminck fomenta une jacquerie. Il fit face à Merckx, une fourche à la main. Il mit le Bruxellois à bas. Le soir, dans des lueurs de feu, il frotta ses poings à ceux d'Erik et Jean-Pierre, qu'il appelait Jempi. Chope au ciel, premier tour joué, il annonça partout qu'il voulait la couronne. Il épousa une orpheline, brune et rebelle comme lui. Il devint champion de Belgique devant Merckx et Van Looy ; fut traité en banni. La foule sifflait ce Spartacus aux élégances travaillées ; elle prit en haine ce semeur de peste qui détestait son roi.

Jean-Pierre Monseré faisait tenaille sur l'autre front. Il mit le Tour de Lombardie dans la besace. Il devint le champion du monde sous une tempête rompant les tentes et les poteaux. Erik le grand frère allait en rabatteur, matant les échappées, vissant et dévissant la course au profit des deux autres. Sept fois champion du monde de cyclo-cross, l'aîné De Vlaeminck s'agitait en furet : musculeux dans la bousculade, égaillant les bordures, ouvrant au cadet des passages somnambules sur le goulache des ornières. Pour Jempi et Roger, Erik fut le ludion de leurs espiègleries d'affamés.

Ils agissaient comme les aigrefins des romans d'Eugène Sue. Opportunistes, fanfarons, insulteurs, ils aimaient le moment où le collet se resserre sur la proie. Ils buvaient la nuit en laissant les victoires boucaner.

Roger le meneur carburait à l'orgueil. C'était un anarchiste organique. Il demeurait dans l'âge d'homme le gamin des roulottes. Celui qu'on montrait au doigt. Il était le pisteur ; il suivait en animal la trace des animaux.

À l'arrivée de Liège-Bastogne-Liège, dans l'avril torride de l'année 1970, sur la sente étroite menant au vélodrome, le long du cimetière, la rumeur court qu'Erik obstrua Merckx et permit à Roger de se faufiler. Le Gitan leva le bouquet sous un tonnerre de protestations. De Vlaeminck accueillit les lazzis – muet dans sa livrée de vice, la bannière de vertu pliée en quatre, au fond de la poche arrière.

« Il faut être un peu bandit pour être coureur. »

Le Gitan ne s'imposait pas d'être honnête, juste légal. Dandy de peu d'usages, il ne cherchait pas à faire le bon gars ni l'intello. Il aimait la pop et le jeu de l'oie, la limonade-citron et le saint-émilion. Sûr de sa lucidité, grandiose dans la tactique, génial dans l'improvisation, il savait provoquer. « On perd ses cheveux quand on étudie. On attrape des tics nerveux, la vue baisse et l'on se cogne à tout. »

Trois Artaban autodidactes sous le maillot rouge Flandria. Trois frimeurs de ducasses. Ils provoquaient les hommes et les dieux. Ils défiaient le climat. Ils allaient sur les sols de pierre comme sur la moquette du salon. Ils explosaient de rire et emmenaient les filles avec eux. Leur fanfare dura trois ans. Et le sort s'en mêla.

Une photo existe d'un jour de kermesse dans les Flandres. Un alignement de troncs devenus sépia. Une route bétonnée. La photo a été prise à Retie, dans la lumière vide de la campagne anversoise. Sept hommes sont debout ; un autre gît sur le dos en travers de la chaussée : visage au ciel, bras sur le ventre froid. Il porte un maillot blanc cerclé d'un arc-en-ciel. C'est Jean-Pierre Monseré. Il a percuté une auto. Les hommes portent des costumes. Trois sont cravatés, bouches ouvertes, bras pendants. Au milieu des regards implorant un secours qui ne vient pas, fermés aux rumeurs amorties de la fête, on voit deux coureurs casqués : ils portent le maillot Flandria. J'en reconnais un. Casque noir à boudins et grosses chaussettes blanches serrées sur le cuissard long, il tient son vélo par la selle, de la main droite. Son poing gauche est fermé. Sorti du tableau de Munch, il hurle vers un lointain qui reste sans écho.

C'est Roger à l'aplomb de son ami fauché, qui hurle comme un loup.

Erik ni Roger ne surmontent la mort de Monseré. Erik devient fou, littéralement. Il court le village, le fusil à la main. La mort flotte sur lui. Il se multiplie dans les alcools, se divise dans les drogues. Sa carrière s'effondre en deux saisons. Erik De Vlaeminck finit en hôpital psychiatrique. Roger erre dans la douleur. Il a perdu l'ami ; il a perdu son frère, que la démence touche. C'en est fini des joyeux ravages, des frasques mercenaires. Ils ne sont plus au-dessus des lois. Ils ne sont plus les impunis dont la pinte déborde. Ils étaient partis faire une révolution : Merckx demeure sous les lustres – repu et souverain. La Belgique se rendort et s'éveille à l'aube, épaissie de levures. Un documentaire sort sur les écrans, qui montre l'enterrement de Monseré par jour de pluie. *Mort d'un homme-sandwich*. Il faut soutenir le Gitan. Son corps s'affaisse pendant l'office.

Deux vifs et le mort, c'est ce jour, le dernier, qu'ils allèrent ensemble tous les trois.

Roger s'accroche à vivre. Quelques semaines après la mort de Jempi, il gagne la Flèche wallonne. Une médaille posthume. Il est perdu. C'est un chien hors de meute qui vacille sur la pauvre Belgique que Baudelaire méprisait et qui méprise son nom.

De Vlaeminck s'exile en Italie. Le sang du Sud, mèches d'ébène, ses ruses siciliennes – son coup de reins foudroyant assure une rédemption. Roger De Vlaeminck reprend chair au soleil. Il gagne les sprints par poignées. Il ne se sent plus d'affronter Merckx sous tous les climats. Il renonce au Tour de France. Il a vu la seringue sur le bras de son frère. Il craint pour sa santé. À l'un les brumes, à l'autre les oliviers. De Vlaeminck navigue à distance du rival. On l'appelle Ruggero. Il opère des razzias sur le Tour d'Italie, entre Palerme et Gênes. Il rafle trois fois le bouquet dans Milan-San Remo. Il envoûte les femmes brunes. Les Italiens l'adorent.

Ruggero se laisse pousser les cheveux comme un *guitar-hero*.

Merckx et De Vlaeminck se toisent à distance. Ils se retrouvent au printemps sur le sol des classiques. Merckx arrive les joues blanches, maussade dans ses fièvres. Roger le narquois présente un voile de bronzage et un corps sec comme un bâton de noisetier. Il a juré sur ses fantômes qu'il battrait Merckx à l'heure et au lieu de son choix. Roger De Vlaeminck a décidé qu'il serait roi sur la course reine. Sur Paris-Roubaix. « C'est la plus belle, la plus cruelle, la plus dure : c'est la mienne. »

Merckx et De Vlaeminck luttent pendant des années ; ils égalent le record de Lapize, Rebry et Van Looy, qui cumulent trois victoires à Roubaix. Merckx ne court plus le granite que pour un seul but ; il veut être le premier aux quatre bouquets. Quand De Vlaeminck parvient à la passe magique, au printemps 1977, Merckx et les Wallons sont anéantis. Et de quatre. Le Gitan entre dans l'histoire, définitivement. Il réalise sa légende.

Le Gitan vainc toujours de la même façon. Il part en lévrier sur le pavé le pire. Ou attend la sortie d'un boyau pulvérulent. Dans l'instant mourant où chacun veut souffler – avec la rectitude d'une Kreidler Florette –, Roger De Vlaeminck s'arrache. Buste immobile sur des bielles de pétrolette, il révèle dans l'effort la face rose des lèvres.

Merckx passe la main. Roger s'imagine au marbre. S'immisce dans le duel un Italien massif, d'engeance carbonifère : il a des bras d'athlète, des cheveux sombres sur l'omoplate – si noir sur la photo qu'il attire à lui tous les sels d'argent. Il s'appelle Moser et laisse l'adversaire dans la gamme des gris. Il gagne trois fois en trois ans. Veuf de Merckx, De Vlaeminck ne court plus que pour freiner cet ambitieux à la chevelure démente. Le Flamand et l'Italien s'épient comme des cousins au chevet d'un oncle à hériter. Deux champions de même clivage. Des inciviques. Des féroces.

La carrière du Gitan avance vers le chaos. Erik ne guérit pas. Une distance s'installe entre eux, grandie par le protocole des médicaments. Loin le temps où ils arrachaient la victoire en ruffians, sur le coup des 5 heures. Le Gitan augmente sa faillite. Il dilapide sa fortune et sa femme s'en va. Tout dérape. Les gazettes ouvrent à la légende des tueurs fous du Brabant. De Vlaeminck reprend son titre de champion de Belgique en 1981. Il a trente-cinq ans. C'est le dernier hold up. Capé comme un Poilu, il traverse le frimas, les jambes couvertes des caoutchoucs épais dont on habille les tuyaux d'évacuation pour éviter le gel. Il persévère en homme de tranchées, dans l'acception guerrière.

Les saisons passent. Et De Vlaeminck perce, pour la première fois. Le Gitan connaît l'humiliation de poser un pied sur le sol ; ce que firent Merckx ou Van Looy avant lui, et des centaines d'autres, sans subir tant de honte. Pour Roger l'insoumis, qui n'accepte pas d'être tutoyé des cailloux, c'est une blessure d'amour. On le voit debout sur l'herbe levant au ciel une roue dégonflée. Et De Vlaeminck chute, pour la première fois. Et De Vlaeminck abandonne, pour la première fois.

Moser conserve une marge de jeunesse. Moser demeure, qui s'épuise aux avants, que la panique étreint à persévérer seul sur le mâchefer. De Vlaeminck observe les stigmates du temps sur le corps de Francesco. Que Moser faiblisse et vieillisse comme lui, heurte le pavé à trac, s'éteigne doucement. De Vlaeminck s'endort sur le rêve d'un Moser déclinant, flétri dans son triplé. De printemps en printemps, Moser s'affaiblit. Sa tignasse retombe. Il perd ses muscles larges et la vitesse à proportion. Il s'obstine pour rien. De Vlaeminck garde le record. Le Gitan est sauf. Promis à l'éternité.

Le Gitan.

Combien ont suivi cet animal fabuleux ? Combien à le suivre ont sombré corps et bien sur les sols en éponges ? Les anciens étaient stupéfaits par sa fluidité d'anguille, cette lucidité intacte sur le corps en flottaison. Roger ne tombait pas, il ne crevait jamais. « J'étais le seul à pouvoir faire cela. » Pendant dix ans, le Gitan a laissé derrière lui des spectres enduits de vase, des hommes encalminés qui l'ont vu s'éloigner avec la grâce d'un serveur du Ritz. Brick Schotte, le vieux Flandrien, Merckx soi-même et Van Looy ont dit leur stupéfaction. C'était un exploit de suivre le sillage du Gitan : il est avéré que ceux qui ont pris son exact chemin y ont tous crevé.

Les mécanos jettent les roues à la fin de Paris-Roubaix. Un coup de chiffon suffisait pour celles de Roger – deux soucoupes intactes. Comme Keith Richards, il faisait le facile, mais c'était une âme frottée au mal comme lui ; il s'exerçait dans les coursives – masquant la peine pour induire la transcendance du génie. Sous la morgue et le jeu des mâchoires closes, De Vlaeminck abritait *back stage* des complications.

J'ai conservé dans un dossier marqué « RdV » quantité de photos dérobées à *L'Équipe*. Ce sont des images noir et blanc des moments où De Vlaeminck démarre et coudoie les derniers échappés. Les images ont été tirées dans le labo préhistorique du faubourg Montmartre par le nommé Tatave, l'homme à la main bouffée, qui plongeait ses phalanges nues dans la cuve d'acide.

Je reviens sur la position. J'étale au large les photos de Tatave. Le Gitan se tient à l'arrière de la selle. Il montre des coudes affaissés sous un buste long. Le corps fait amortisseur, l'arrière et l'avant actionnant deux ballasts d'égale poussée. Il y faut des triceps forcis à la morte saison, des jambes courtes, un centre de gravité plus bas, des cuisses à muscles ronds, des mollets rebondis, d'une densité et d'une torosité supérieures. De Vlaeminck déployait une vélocité surnaturelle quand la météo annonçait des paralysies. Il vibrait au-dessus des pavés mouillés, monté sur les pales d'un ventilo. Un régime asphyxiant. D'une nervosité électrique, il alternait le grand et le petit plateau ; il traversait la chaussée d'un bond, éludant les dévers. Observant son frère au cyclo-cross, le Gitan avait pris l'adresse des forains. Il était le seul coureur à mouvoir ses roues dans le rail du tramway. Il alimentait son psychisme reptilien d'un voltage rehaussé, aux limites du court-circuit. Son génie consistait en l'addition, la synthèse centrifugée de petites aberrations, toutes exacerbées.

Un homme surgi des glaises, *ex limo terrae*.

De Vlaeminck ignorait le sol sous sa roue. Il regardait trente mètres au loin. Il visait des jointures, les lisières les plus lisses, les plats d'herbes moins piégeux. Il fixait la pierre qu'il amollissait dans une sorte d'hypnose. Roches dont il devinait le soubassement. Sentes dont il savait le lit effondré. Contre les sols affligeants, il avait ses esquives. À laisser supposer une prescience des choses minérales, le Gitan détectait les flaques profondes maquillant un drain, les schistes maléfiques enfoncés à la sauvage au temps des monarchies. Il préférait le pavé rose de Bretagne, plus large, enflé d'un début de grossesse, qu'il fendait par le haut à la vitesse du serpent. Le Gitan évitait les chutes en ordonnant ses chairs. Il allait sur le vide, sans un râle, bouche fermée.

Keith Richards offrant son solo – les lèvres pincées, les yeux clos.

Il y avait de la flambe et de la frime dans ces façons, de quoi écœurer les frappeurs de roche, ceux qui allaient sur la pierre vulgairement comme des sangliers. Ces prouesses se travaillaient au retrait des Flandres orientales, sous des nuages cravachés à la Ruysdael, entre la fin de l'automne et l'hiver naissant. Les entraînements de Roger avaient le charme quinquennal du plan. Quand venait le début de la saison, il ajoutait cent kilomètres aux presque trois cents de Gand-Wevelgem : il bouclait quatre cents kilomètres dans une journée qui étouffait dans la nuit. Il avalait mille autres en quatre jours, peu avant la course. La veille du départ, il devenait l'enfant de la roulotte et se gavait de gâteaux.

Il était prêt, le jour J. Ni la veille. Ni le lendemain. Il partait seul au matin, les poches emplies de provisions ; il prenait soin de son vélo. Il n'escomptait pas de soutien en course, ni sucreries offertes, ni le prêt d'une roue. Il avait le monde contre lui et la paranoïa rangée avec les pâtes de fruit.

Le Gitan utilisait les cinq premières dentures, jamais le dernier pignon ; Keith lui aussi l'avait virée, cette putain de sixième corde.

Roger traversait l'enfer en gandin, sur des boyaux de soie. Il les laissait sécher plusieurs années dans l'obscurité, les gonflant tous les mois, fomentant les victoires à cinq ans d'agenda. Il collait un Clément à large section sur la roue avant pour amortir les chocs frontaux ; parfois un Clément plus léger à l'arrière, mieux conçu pour les pistes en bois exotique – cette folie assurant la poussée d'une toupie. Une commande arrivait à Paris, aux soins de la maison Dugast qui expédiait ses modèles larges à vingt-six millimètres, taillés dans la soie la plus belle ; aucun autre n'y avait droit. De Vlaeminck gonflait peu, relâchant à six kilos, comme les viscères du caïman. On dispute si le Gitan utilisait un guidon à bords tombants pour la seule esthétique ou le motif technique ; ce guidon étire le coureur, qui fatigue mains en bas, mais il n'entrave pas l'avant-bras lors des sprints violents. Ses manettes de dérailleur étaient abouties d'embouts de caoutchouc pour éviter de glisser du doigt. Il enfonçait sa casquette à l'envers, protégeant sa nuque de l'eau.

Certains l'appelaient « le Chat ».

Sa puissance émanait, mais ne se voyait pas. C'était un exemple d'onctuosité dans les telluries. Sa position – sur les photos dérobées, dans la confusion de bords de route encombrés de tracteurs, de Renault 16 et de mobes sanglées de cageots – est empreinte de perfection. Jamais d'écart, ni d'embardée. On ne lui voit jamais un genou fuyant vers l'extérieur, ni la tête basculant de côté, pour faire contrepoids. Les jambes demeurent parallèles. Une ondulation part des reins où se perdent les chocs ; De Vlaeminck s'élève de la selle, imperceptiblement. Sous les bras en repli meurent les vibrations. Une façon virtuose d'effleurer le chaos, les paumes en suspens. L'onde néfaste traverse les métaux, suivant les dérivations invisibles d'un paratonnerre ; elle passe dans les yeux, d'un trait fulmine sous les roues et sombre aux mondes du dessous.

Malgré ses perfections – cette somme d'arbitraires soudés en symphonie –, Roger De Vlaeminck est demeuré sans descendance. La veuve de Monseré, sœur de la femme du Gitan, a perdu son fils, fauché par une auto comme son père Jempi. De Vlaeminck a pris en main le fils de son frère, un lascar surdoué, presque sosie d'Erik ; il l'a initié au cyclo-cross. Geert s'est tué en course. Comme son père Phil sortait de la roulotte, une auto le faucha. Il allait à bicyclette à soixante-dix-huit ans : le vieux Philibert jusqu'à la fin l'avait suivi de course en course, comme à la foire, vendant maillots et casquettes à l'effigie de son enfant.

Une partie du Gitan est morte.

Une part de sa substance est allée à la mort sur un vélo.

Je l'ai croisé dans le moment le pire. C'était un dimanche de l'année 1986, en Picardie. Le Gitan venait de disputer un cyclo-cross de rien. Il courait au village, sous un reste de bois. J'attendais dans une salle de mairie plus froide qu'un couvent. De Vlaeminck est entré. Ses foudroiements obliques : j'avais tant de questions que je n'ai rien pu dire. Il attendait la prime et se taisait aussi. Un homme est arrivé, chargé d'une

97

enveloppe : il a posé les liasses sur la table. Pour prix de son génie. Le Gitan n'a pas recompté. Il allait sur les quarante ans, avec les tempes rases.

Le Gitan mis à nu avait trouvé un homme qui lui tendait la main. J'eus le temps de voir Merckx épaissi et De Vlaeminck toujours maigre discuter devant leurs autos. Eddy avait offert à Roger son beau rival un contrat hors du temps – et un vélo d'ironie marqué au nom de Merckx. Sous le ciel compliqué de Juilly, dans un automne confus, au bon vouloir d'Eddy, le vieux Gitan ressuscitait. Merckx dans ses épaisseurs tristes s'offrait une nostalgie.

De Vlaeminck à la grande époque allait visiter Merckx à vélo. Il traversait le salon, longeait la cheminée, mains au bas du guidon ; il pivotait dans la cuisine devant l'épouse muette et descendait les marches du perron, sans mettre pied à terre, histoire de bluffer le monde. Le dernier fils De Vlaeminck s'appelle Eddy.

Le Gitan a rêvé d'une succession. D'un successeur qui ne dépasse jamais ses quatre fois. Assis devant la télévision, Roger contrôle sa course. Télécommande en main, il déplace des forces.

À plus de cinquante ans, montrant la puissance d'un spectre, protégeant son record des agressions du temps, le Gitan s'est illustré d'une prouesse magnétique. Il a laissé venir à lui un Flamand hispanisé, au teint usé de pemmican, le vieux Peter Van Petegem. Qu'attendait-il d'un si triste disciple, noir comme un spéculos, lui offrant ses conseils, ses ruses sur un plateau ? Le Gitan suivait son obsession, sans l'usage d'un vélo. Il préservait sa couronne. L'artiste voulait freiner la poussée de Museeuw, trois fois titré, qui s'en allait vers son record avec des grâces de bison. Van Petegem agi par le Gitan arrêta net Museeuw, comme Merckx et Moser, sur la passe de trois.

Que nul n'achève le roman du romano.

Roger De Vlaeminck a tout perdu. Sauf le titre. Monsieur Paris-Roubaix. Marqué au feu sur le front.

Le Gitan s'entraîne sous le vent, il se continue, soixante ans comme Keith – front haut, ventre plat. Il traverse la grand-rue du village de son enfance. Il fait le beau en fin de bourg, *exile on main street*, dédaigneux sec et noir, d'un mauvais goût faraud, les manches relevées et le pull dans le jean, s'annonçant de bottines à rivets dans une approximation de guitariste anglais. C'est lui toujours qu'on montre au doigt. Le Gitan est revenu au lieu de son essence, libre de vie vagabonde. Il sourit aux filles des paysans, narquois de haute bohème – un voleur de pommes.

LES ARISTOS DU POPULO

C'est dans les années trente que le cyclisme des tréfonds atteint sa majorité. Le temps des pionniers est révolu. Les cyclistes prospèrent sous les fanions, dans une France hésitant à marier les communistes en bleus et les fascistes en sombre; demeure l'amour du vin et l'ivresse des mots. Les bourgeois sont au pouvoir; sous divers fumets se repassent les plats. Ils ont usurpé les particules, laissant une patine artiste sur la page des encaissements. Le cœur n'y est pas.

La noblesse n'existe plus. Sauf pour quelques gars de rien, fantômes des classes du bas, qui vont tout reprendre à zéro. Des hommes de bras et des parleurs. Ils vont fignoler une héraldique de broc. Ce sont des acteurs de l'ombre et ce sont des cyclistes, les fines fleurs du monde ouvrier. Des foies solides de paysans. Cette France mal mariée, pas cicatrisée des révolutions, voit pousser des entrailles du peuple les nouveaux héros d'épée, nostalgiques d'une noblesse de vent.

Dans les temps à odeur d'anis, la gloire se mesure aux hurlements des populaires sous les fumées closes du Vel' d'Hiv'. Le cyclisme sur piste est au firmament. Les plus belles femmes viennent applaudir les beaux garçons, les coureurs de Six-Jours vernis à la brillantine et nervurés sous les maillots de soie; elles s'étourdissent des stayers couchés à cent à l'heure dans le sillage des motos; elles jettent un gant aux acteurs alourdis de manteaux.

Gabin est une vedette. Dans *Le jour se lève*, sur un mur de la chambre du jeune premier, on distingue une photo d'André Leducq. Gabin est l'obligé des cyclistes. Il est l'ami d'Alfred Letourneur, l'homme qui pédale derrière moto; il est pote avec Toto Grassin, prince des pistards, le roi du plancher. Comme Tristan Bernard, Gabin commente le Tour de France sur les ondes. Il chronique la Grande Boucle 38 pour Radio 37, longueur d'onde 360. Gabin vient admirer André Pousse dans le Vel' d'Hiv' en émoi.

Dans cette même année, André Pousse croise un jeunot dans le vélodrome. Il s'appelle Michel Audiard. Il a une licence au Vélo Club du quatorzième. Il court depuis sept ans et n'a jamais gagné. «Je m'entraînais en tournant au Vel' d'Hiv', quand je vois un petit cycliste qui s'arrête à ma hauteur et me dit : je t'ai vu courir dimanche dernier contre les Flamands, t'as les jambes, qu'est-ce tu leur as mis dans la gueule!... C'était Michel, à cette époque il était quatrième catégorie. Je lui dis : Tu fais de la piste, toi aussi ? Et il me répond : Je suis obligé d'arrêter de courir sur route, je monte pas les côtes.»

Gabin persévère dans l'amitié ancienne; il lance Letourneur qui veut battre le record derrière entraîneur. Le 17 mai 1941, Gabin lâche la selle d'Alfred qui file à 173,864 à l'heure sur un développement géant de 114 × 12.

Ils se retrouvent après-guerre dans la pâleur du Vel' d'Hiv' mal refroidi de la trahison. Pousse et

Audiard deviennent amis. Gabin s'amuse des jeunots ; il trouve à Audiard un surnom, « le P'tit Cycliste », et un blase affectueux pour André, « le môme Pousse ». Ils serrent la main d'un gamin aux cheveux noirs qui tient le vélo de Pousse sur la ligne du starter. Il veut devenir comédien. Il s'appelle Delon.

Audiard vient de lire le *Voyage*. Il veut faire écrivain. Il écrit pour Jean Gabin. Il écrit pour André Pousse qu'il met à l'affiche, avec sa gueule de mandat d'arrêt. Comme l'a noté Gilles Grangier, « si Audiard avait pu monter la côte d'Évreux à la même vitesse que Bernard Hinault, on n'aurait jamais eu de dialoguiste ».

Audiard invente une jactance qualité France, du Céline *light* compacté aux rudesses de Gabin, qui fait dégueuler François Truffaut et les mèches des *Cahiers*. « Un intellectuel assis va moins loin qu'un con qui marche. » Gabin devient le parrain des forts en gueule ; il mène les flingueurs dans la camionnette. Il ne faut pas les chercher. Ils ne séduisent pas. Ils envoûtent, ils fascinent, ils hypnotisent. Ce sont les aristos du populo.

Gabin n'invite jamais ; Audiard pousse à sa table Jacques Anquetil, son voisin normand. Anquetil le nobliau veut en croquer, la vie en col roulé, maison de maître et alezan ; Gabin lui déconseille le haras. Le Vel' d'Hiv' a été rasé, des gradins à la piste en bois. André Pousse garde le record du tour. Gabin déguise sa tristesse. « T'as bien fait de détruire le Vel' d'Hiv', Dédé, comme ça t'es sûr qu'on te piquera pas ton record... »

Le temps est fini des populaires, des poulaillers en feu et des « tourneurs sur bois ». Gabin vieillit. Il faut partager l'affiche avec un garçon au visage parfait.

C'est le môme Delon, celui qui tenait le vélo de Pousse, rue Nélaton. C'est le môme Delon, devenu acteur, qui tente de s'échapper du plateau de Luchino Visconti pour aller serrer la main de Fausto Coppi. C'est Delon qui devient le parrain, bourru toujours, la gouaille en moins. C'est le début du genre samouraï, le genre froid.

Quand Verneuil adapte *Un singe en hiver*, le roman de Blondin, Audiard signe les dialogues. Gabin prend le rôle et refait le parcours en crabe d'Albert Baker d'Isy, le grand chroniqueur cycliste, que l'alcool a fané. Le petit Blondin, légitimiste en culottes courtes, s'approche des prolétaires royaux. Il touche Gabin du doigt, ce bloc de chair vraie. Blondin et Audiard se lient avec Jean de Gribaldy, mentor cycliste à talonnettes qui se dit vicomte et ressemble à un presque nain.

Comme l'espèce fragile des girafes réticulées, les petits particulés du populo vont disparaître doucement. Comme si la destruction du Vel' d'Hiv' leur avait coupé les tendons. Gabin d'abord, puis Audiard et Blondin, Jean de Gribaldy et André Pousse, tous deux fauchés sur accident.

C'est la fin d'un monde où les acteurs faisaient la roue; où les cyclistes faisaient leur cinéma. Une conjonction stendhalienne disparaît, une envie d'être au galop, de leurrer la misère sur le nuage d'une aristocratie à deux francs.

Delon est toujours en vie, dans le genre froid.

Il conserve dans sa maison le vélo de Coppi.

Dans Paris

Le cyclisme après-guerre était un art parisien. Entre le Vel' d'Hiv' et la vallée de Chevreuse, entre les clubs de renom et les ateliers circulaient des forts en bouche. Casquette de biais, musette sur la hanche, ils sillonnaient le pavé noir ; des mimiles, des tintins qui échappaient au pouvoir sanitaire et au contrôle social. Ils avaient les dents noires refendues de Marcel Cerdan. Ils n'avaient peur de rien ; ils escaladaient le monde sur la plaque, les mains en bas. Ils assénaient des vantardises qui touchaient au menton. Ils avaient un stock de génie à disperser. Des Parisiens gros bec. Ils jactaient même en course, lançant avant le sprint des proverbes au couteau. Ils avaient la classe, la leur, et le poil lissé au crasseux. Louis Caput allait à leur tête, comme un homme évident.

 · Les courses dans Paris faisaient des bals innombrables. Ils s'y frottaient, l'œil en coin, chassant les jupes. Ils remettaient ça la nuit sur l'anneau de bois du vélodrome ; les plus rapaces localisaient les femmes larges avec le rang précis et le numéro. Ils traversaient la Capitale sous des applaudissements.

Maintenant qu'il n'y a plus d'ateliers, ni de pavés, ni de musettes, ni de crasseux, ni de rombières à dépiauter, les courses dans Paris ont disparu. Il en reste une en bas de chez moi. C'est un anneau à virages serrés qui dessine une épingle de cravate sur le boulevard Edgar-Quinet, entre la base de la tour Montparnasse et le métro Raspail où les exaltés d'Action directe s'étaient enfoncés après avoir tué Georges Besse, le patron de Renault. S'y rassemblent en mai des coureurs de banlieue. Il y a une estrade et un podium, il y a un speaker avec un micro. Il y a des Parisiennes dans les coins et des Parisiens chez eux qui se déplacent, un journal sous le bras.

Les coureurs sont ignorés. Malgré les mèches teintes, les boucles et les faux diamants aux oreilles, malgré les dragons tatoués au mollet et mille afféteries de turlupin, ils peinent à se faire remarquer. Ils sont invisibles.

Les passants remontent la rue de la Gaîté sans voir ces énervés qui les frôlent dans un râle. Des vies s'entrecroisent sans se toucher. Le jour est loin où les commerçants des rues se fendaient d'une prime. Il n'y a plus de primes, mais une pièce jaune sur le coin d'une table. Une vieille dame tire sur la laisse. Les échappés épargnent la vie d'un caniche un peu lent à pisser. Le serveur travaille sur l'arête du trottoir ; il sert la bière d'un swing tournant et caresse le peloton. Il regarde des clients qui regardent des verres et ne voient pas de course.

Le sprint advient dans le calme des restaurants où l'on sert déjà la mozzarelle ; un Polonais gagne avec trois longueurs et six fois le taux de fer acceptable pour un humain. Routine et tristesse, et le soir silencieux. Cesse le crachin du micro. Des hommes en survêtement démontent les barrières. Les coureurs n'ont pas le temps de se mouiller la face ; ils rangent le vélo dans le coffre et filent dans les lointains. La queue se forme devant le cinéma. Les punks à chiens retrouvent le chemin de la gare. Le vendeur pakistanais descend au métro agencer des kiwis.

Le Grand Nulle Part

Des régions surgissent en noir et blanc aux cadres des wagons. Les plaines de Beauce, le cap d'Antibes et les remparts de Saint-Malo. C'est l'après-guerre. Le Tour de France est un album. La boucle de Jacques Goddet lie des mondes séparés, qui font chromos. La course ondule des maïs aux blés, des plaines jaunes aux cassis d'un territoire devenu rouge. D'un canton à l'autre les nuages se déforment, les bidons d'eau n'ont pas le même goût.

Goddet avance en pantalons courts; il passe juillet sous le casque de Lyautey à décompter les villes franches. Il visite des comptoirs. Un dessin dans sa paume lie Sospel et Honfleur. Son Tour caresse des vastitudes; il unit des éloignés. Au jeu fratricide des derbys de clocher, Goddet impose les concertations du siècle précédent; il oppose des régions puis bricole une paix laïque, quand les cyclistes prennent le long de Seine et approchent Paris.

Ces juillets sont loin. Le casque de Goddet est parti aux enchères à moitié prix. Le Tour de France n'est plus vrai. Les coureurs continuent de tourner; ils tournent et retournent entre des lieux qui ne sont plus de départ ni d'arrivée. Le Tour de France fait le tour d'un pays non semblable à la France des compartiments aux cadres chromés.

Les montagnes percent dans les coins ; les mers usent les contours. Vu d'un satellite, le pays demeure exact sur ses franges ; on voit la moelle blanche des Alpes. À trop s'approcher, le pays de Goddet disparaît. La paix dans sa permanence et son feu roulant de publicités a figé le tableau d'une France prise dans l'étau des conurbations.

Domine un lacis de routes n'allant nulle part qu'aux temples de la consommation. Domine la spermature infinie des bretelles et des dérivations ; les sols sont illisibles. Il n'y a plus de noms qui précisent les lieux, ni de lieux qui rappellent le dessin des rivières et des bois.

Depuis la vitre des automobiles, à une vitesse proche de cent, on croit traverser des paysages ; l'œil accroche l'idée d'un ciel, un champ peigné par le vent. Les conducteurs pensent être quelque part. Les plaques minéralogiques donnent la précision révolue d'un folklore, quand il faut s'agiter comme des aimants sur un tableau peint par Jackson Pollock. Depuis le guidon d'un vélo, à une vitesse de quarante, on a le temps de flairer le désastre. Les cyclistes errent dans la farce d'un Tour de France monnayant la belle comptine des régions, quand il n'y a plus qu'un lieu.

Le Grand Nulle Part.

Le lieu unique de l'Indéfinition.

L'universelle banlieue.

Les cyclistes ont le temps de détailler les laideurs d'un pays unifié par le réseau des ronds-points et des giratoires. Ils ne traversent plus les collines de Vietto ni les pinèdes de Darrigade, mais une marelle contre-signée par des préfets. Ce n'est plus un pays, mais une horloge géante – le monde coagulé dans une platitude de cercles enchevêtrés. À subir l'autisme légal décidé par les hommes à têtes de toupie, les cyclistes suivent un schéma inspiré de spires et de riens.

Courir le Tour de France, c'est tourner en solitude et c'est tourner bourrique – la tête dans le guidon. Les coureurs l'avouent, les étapes de plat inquiètent plus que les incursions à travers cols. Le vent ni la pluie ni la grêle n'effraient comme ces chicanes hérissées de ralentisseurs, ces goulots savants, suifés avec vice, qu'il faut franchir en suivant l'ondulation aveugle des poissons, en s'immolant au système nerveux du peloton, dans un acte de renoncement.

La course prend le pouls de la société. Les coureurs apeurés dans le piège cotisent à un monde où l'autre forme une menace et disparaît dans le flot, noyé. On croise l'hypothèse d'un regard. On n'est plus obligé de parler. Le bonheur est perdu d'une petite collision, d'une insulte lancée dessus la vitre, d'un étranger à saluer d'une main, le constat d'accident dans l'autre.

Il n'y a plus de centres ni de frontières, mais une confusion de matière tournant sur elle-même.

Bref, un maelström con.

L'infinie spirale s'amenuise sur les parkings des supermarchés. Dans l'entassement des caddies, la matière fait grumeau. Le monde s'apaise dans un amoncellement. Murmurent les roues des chariots. Grincent les pales des climatiseurs. Rien ne tourne rond. Pour l'acheteur motorisé et le cycliste girant de môles en centres commerciaux, le parking de supermarché devient le lieu d'un apaisement. L'ultime regret d'une civilisation. Les conducteurs s'y croisent ; l'un mesure l'autre et ses convexités accablantes, ses habits étranges. Les coureurs le matin toisent ces concavités alourdies de présages ; c'est le moment où ils peuvent se parler. Ils s'empaleront plus tard sur les pics de dérivation.

Une société se reforme dans le lieu des laideurs supérieures. Une douceur amniotique s'étend. Le parking est le jardin où l'homme devenu pensif écoute refroidir le moteur. Sur une portée de Steve Reich, un caddie fait crécelle. Des chevelures paraissent sous les hayons qui s'ouvrent. Des mélodies filtrent des auto-radios. On sent passer un souffle de poésie.

Le parking est le lieu commun nouveau, l'antichambre de l'art contemporain. Les plasticiens vont là parmi les coureurs, comme les peintres allaient autrefois en Italie ; ils se frôlent et se saluent de loin, comme des voisins dans un lieu de prostitution. Ils sont chargés de chambres noires et de caméras géantes conçues pour mieux fixer l'obscène du nihilisme parvenu à son extrémité.

*

Du temps que je zonais en trois et quatre, vestiges des sous-catégories, avec un maillot vert émeraude à manches couleur nectarine, je détestais les parkings, ces parlements ouverts à tous les candidats, à toutes les rafales. C'était le lieu habituel de départ des courses sur circuit plat, hantise du grimpeur ; l'endroit où le cycliste impacte la misère du temps. J'arrivais seul, à vélo, le sac Puma sur le dos, les anses sous l'aisselle. Les cadors somnolaient au tiède de l'adolescence, vitres fermées, dans le break familial. La sœur tendait un verre de jus d'orange pressé le matin par la mère dans un pavillon à volets tournants du bas de l'Isle-Adam. J'étais déjà en sueur ; j'avais fait quarante bornes depuis la cité. J'étais seul et montait doucement l'idée que j'allais me faire larguer avant le dixième tour. J'avais froid. J'essayais de me refaire. Devant le rétro d'une CX Turbo, je mettais en forme mon laqué à la Mike Brandt ; j'ajustais le casque Cinelli à boudins. C'était le temps où les coureurs venaient tous avec leur fiancée. Elles s'appelaient toutes Josiane et Martine, et luttaient contre les boutons.

En banlieue

Le cyclisme survit à Paris dans l'indifférence, livré *intra muros* au mépris des bobos; il agonise dans les cités. Sur l'étendue des banlieues couturées les unes aux autres prospère sous un même accent, les mêmes syllabes aboyées, l'engeance scootifère appelée en Sorbonne ziva. Qui dira l'ambiance des circuits tracés dans la coudure des barres, à l'ombre nette des bétons?

Le ziva s'ennuie le dimanche, jour des courses. Le cyclisme fait un amusement gratuit sans s'éloigner de la télé. Le ziva s'installe au balcon ou à la fenêtre. Caillassant les idiots qui tourniquent sous lui dans des couleurs énervantes, il se délasse. Le jet de canettes détend, autant que le lance-pierres, plus efficace quand l'échappée est formée et s'étire comme un fil. Le ziva aime le bruit mat du caillou sur le casque en polymère. C'est du gagnant tout coup. Il tire à angle serré, pour préserver sa parabole. Avant l'avènement des baladeurs numériques, au temps des cassettes audio, les bandes magnétiques étaient tendues en divers endroits du circuit, cisaillant l'encolure, nouant les pédaliers.

Qu'un cycliste s'écroule, le coude en sang, sur un trottoir d'Aubervilliers ou de Villetaneuse, le ziva

vitupère : « Comment qu'j'l'ai marav' l'Jalabert... »
Quand la dernière adaptation de Balzac est sortie
sur les écrans, les experts zivatologues de Sorbonne
ont noté l'occurrence, assez faible toutefois, d'une
variante : « Comment qu'j'l'ai niqué l'Chabert... »
Quand le coup passe à côté, une seule expression est
utilisée, empruntant pour l'apocope systématique aux
œuvres anciennes de Pierre Guyotat : « J'l'ai téra...
l'bâtard. » Avec adjonction éventuelle de la locution
« d'sa reum » au mot bâtard, sans que cette adjonction
apporte en musicalité. Elle est souvent remplacée par
la locution « d'sa race », parfois employée seule, sans
antécédent, réduite à « sa race », comme phrase nomi-
nale : elle signale alors un grand dépit chez le locuteur
dans le cas où, par exemple, un coureur touché à la
tempe se relève.

Le cyclisme n'attire pas les gamins des cités. Il excite
les enfants des pavillonnaires, les exaltés de province.
Le cycliste est interdit de considération dans les lieux
dédiés au football et au basket. Douleur maximale.
Salaire moyen. Sex appeal nul.

Les cyclistes errent de parking en parking, signent
des feuilles de départ belles comme des mains-
courantes. Ils ne promènent pas les mannequins qui
prospèrent à la laisse des footballeurs, ces « pures
bitches de magazine ».

Ils s'affichent avec des femmes normales, des
variantes intermédiaires. « Des golgothes, des vendeuses
Darty, arrête ça. »

Ils sont applaudis dans les lacets de L'Alpe-d'Huez
par des supportrices venues de loin. « Des thons de
combat. »

Ils propagent une modestie et une acceptation de la peine toujours émouvantes. «C'te galère, ils suent comme sur les chantiers.»

Ils se déplacent dans des automobiles normales et ne cherchent pas à épater. «Des Peugeot, carrément.»

Ils ne cherchent pas à se montrer. «Jamais ta *life* dans *Voici*.»

Ils suivent une hygiène de vie plus que rigoureuse. «S'piquent dans l'cul, sur ma mère c'est vrai.»

Un sport de souffrance, où naissent des légendes. «T'sais koâ? C'est la mort ton queutru!»

Les cyclistes réacs, les racistes encasqués des oasis meulière ont établi la théorie d'un cyclisme noble et trop épuisant pour les branleurs, juste bons selon eux pour les sports collectifs où l'on peut glander quand tourne le ballon. Allobroges et Bituriges ont maçonné le constat d'un cyclisme réservé aux Gaulois taillés dans le soc des charrues.

Le cyclisme fournit au ziva un motif d'exécration. C'est la France balzacienne que le ziva met au pilori par le jeu des sonorités. Les Jalabert et les Chabert, par leurs finales écœurantes, font symbole d'une France de ploucs et d'empesés du labour. La France des rimes en «er», celle des Chabert et des Jalabert, montre ses dents de berger allemand; le mot Kärcher est au principe d'une revanche sonore.

À piétiner leur langue sur le parking de l'Auchan et mal prononcer les usuels de leur sport favori, les plus chauvins Chabert ne se respectent pas mieux. Le mot «sprimt» vaut pour sprint, «cyclimsse» pour cyclisme.

Les courses nocturnes deviennent des «nopturnes».
C'est accablant.

Dans cette guerre de tranchées, les Barrès du
peloton et les zivas ne sont pas mieux barrés. Chacun
trouve son sang mieux. Ni les uns ni les autres,
abrutis sur les mêmes frontières, rétractés dans la
même stupeur, ne s'avouent leurs rêves identiques de
consommation, ni le matérialiste bestial et l'envie qui
les tuent. Ils se retrouvent sur les mêmes escalators,
dans les mêmes centres commerciaux.

Aucun champion français ne sort de la classe
moyenne – qui cède la maîtrise du corps contre la
jouissance des objets. Aucun champion ne vient des
cités. Les zivas naviguent à grammaire réduite sur un
monde nié, ils sont les *lumpen* nouveaux, méprisés
partout, méprisant le prolétariat. Ils étaient la troupe
jadis des réprouvés venus au vélo pour forcer la vie.

Le cyclisme a fini sa vie dans les pays développés.
La victoire va aux nuques plus rases des plus teigneux
de l'Est, aux Américains du Sud et du Nord, aux exilés
plus frais : des Kazakhs au poil de foin, des énervés
pas alanguis aux coussins de la *middle class*, pour qui
le vélo n'est pas un supplice rebutant.

Loin le temps où les Ritals et les Polacks venaient
arracher le bout de gras sur les routes de terre et les
cyclables mal soignées. Le cyclisme accueillait rude-
ment, mais il accueillait. Raphaël Geminiani l'a dit :
son père italien lui a fait aimer la France; la France
les a aimés. Les fascistes italiens avaient brûlé la petite
fabrique de vélos que le père avait nommée *Edera*,
le lierre. «Parce que dans la vie, disait Giovanni, ou
tu t'accroches ou tu meurs.» Geminiani est devenu
auvergnat. Stablinski était polonais. Il devint cycliste.

Il n'y avait pas meilleur turbin pour emballer que le vélo et la boxe. Les femmes s'enivraient de l'accordéon et vénéraient les hommes forts comme la roche. «Tapi dans les entrailles de l'humanité, un instinct fait du courage physique la condition du triomphe en amour.» C'est du Cowper Powys.

*

Quand la flemme gagne, que le temps n'est pas certain, je vais m'entraîner en rond à Longchamp, autour de l'hippodrome. C'est une circonférence boisée qui sert de piste et de parloir. On y croise des bizarres, d'anciens chanteurs de charme et des acteurs vieillis, des réprouvés de toutes tailles, des érémistes surentraînés et des héritiers sur le souffle des rentes, en pâmoison. Quand le vent porte, un ancien champion nous arrive avec les pluies du Cotentin.

J'aime retrouver Cyrille Guimard à l'approche de juillet. Il vient se refaire le poumon pour commenter le Tour de France à la radio. On parle d'Hinault en roulant à vingt-cinq et de Charly Mottet qui faisait le métier.

Guimard ne change pas. Il a une science d'avance. L'histoire sous sa main demeure ce mikado de chiffres enchevêtrés : VO2 max et lactates combinées aux équations du vent. Ses algorithmes n'expliquent pas le déclin des cyclistes français. «On ne les pousse pas à l'effort maximal dès les dix-huit ans; le retard ne se rattrape pas. Et les gamins se lèvent tard. Qu'ils viennent d'un milieu tranquille ou qu'ils galèrent dans les cités, il y a un truc qui plombe à fond, personne n'en parle, c'est les pétards, la fumette : c'est le fléau. »

J'aime quand Guimard raconte ses années amateur. Il avait les dents au guidon et dépeçait les courses. « Dans les années soixante, en une saison, j'ai ramené mes cinquante plaques à la maison. Les footeux, je n'en étais pas jaloux. » Dans le faux plat du circuit, le père Cyrille a un coup de moins bien. Il veut rentrer.

Me crochète une main et hop m'expédie d'un envoi de bras.

L'AMICALE DES FRELONS

Une race d'hommes énormes, tous vieillis. Une race éteinte de cochers tous obèses, gouverne en main.

Ils vont sur la plaine immobile – raides sur des motocyclettes, le pectoral dilaté, coupant l'air aux petits mammifères qui s'agitent dans leurs dos. Cette race épaissie de lainages, engraissée à la choucroute et au vin blanc, est celle des entraîneurs. Derrière les monolithes aux poitrails immenses prolifèrent les espèces inférieures, étriquées, des parasites agitant les jambes à l'aveugle, oscillant des cervicales, servilement. Ce sont les coureurs, race minime.

Aspirés dans un cône de vide, les frêles cyclistes faisaient rêver : ils traversaient la France en un jour, dans une dépression. Les entraîneurs ont disparu des routes à l'angle des années quatre-vingt, quand il s'est agi de purger le calendrier des courses vieillies. Bordeaux-Paris fut sacrifiée, la course de l'usure. La course du sans-fin et de l'épuisement, qui allait de Bordeaux à Paris comme de vie à trépas. En tuant la «course qui tue», il fallut achever le troupeau des entraîneurs, ces bisons devenus vieux. On vendit la laine. Il fallut vider les réservoirs, dépecer les montures, replier les maillots.

Les merles ont oublié ce dimanche de mai, quand les entraîneurs motorisés ouvraient une brèche dans le chant. Les plaines de Touraine reviennent au silence. Les poissons ne connaissent plus la terreur du matin, la terre grondant sous les nageoires, quand des hommes larges comme des platanes offusquaient le soleil au revers du quai.

L'entrée en lice des géants tenait du fléau. Comme à l'approche d'une éruption, les plantes et les animaux cherchaient une crevasse, une faille où s'enfouir. Tirés du lit, les humains passaient entre les volets des yeux ronds où la peur se lisait.

C'est là que je les ai vus pour la première fois, les passeurs aux épaisseurs doubles et triples. C'était mon premier Bordeaux-Paris. Le départ avait été donné après minuit sur la place des Quinconces. La course allait à travers nuit, lente, humide – un ballet de torches électriques. Les coureurs veillaient, à l'économie, partageant un bout de chandelle, hurlant dans le noir pour un gâteau de riz. Ils avaient les visages secs des inusables, des suicidaires à feu lent, embarqués sous la lune pour rallier Paris en apnée. Puis le jour arriva, liquide, déprimant ; les coureurs firent une halte pour se laver. Ceux des suiveurs qui connaissaient la fin se lestèrent d'une tête de veau persillée. Tout le monde se restaura. Sauf moi. Poitiers nous attendait déserte, volets clos, ville soumise. C'est là, ventre vide, que je connus la terreur des animaux.

Du fond de la Peugeot, je les revois encore, sur la droite, à l'ancre, figés dans une lueur de brume. Les coureurs devant moi ont accéléré, mais je ne vois qu'eux : les entraîneurs, leurs cuissots impatients, les sabots une dernière fois posés sur la terre des hommes.

Massés sur le parapet, barils cordés avant la mise à feu, voici les passeurs. Quinze Charon dans les starts, ils ont lâché les gaz, à qui poussera le premier sa carcasse de coureur sur l'autre rive. Voici les nochers partis… Un vacarme d'orage africain envahit l'habitacle. Le grand tintouin à travers champs… Ces vibrations d'outre-monde… Quel saisissement! Malgré la lumière si douce, les volets par des cœurs ajourés, les familles endormies, les fleurs si belles dans les pots. Ce branle fabuleux!

On ne voit pas leurs yeux. Ils turbinent, visages froids, ils expectorent. Ça crache et tousse. En moins de vingt secondes, les motos ont détalé. Les coureurs prennent place derrière les automédons. Devant chaque gringalet à jambes rases, il y a un bibendum de carnaval, sérieux comme un mât de canton, qui pousse la chiotte plein pot, toise droite et gauche ses ennemis, les autres gros – ce plein de panses à crever.

Les entraîneurs formaient une caste d'apocalypse. Une alliance de génétiques aberrantes, une maçonnerie de taiseux endurcis aux hivers des époques inférieures. Un syllogisme évident aurait dû en faire les meilleurs amis des coureurs. Le vent est le premier ennemi du cycliste. Un poitrail d'ours annule les effets du vent. L'ours est donc l'ami du cycliste. Mais il était peu question d'amitié.

Les entraîneurs se posaient en seigneurs féodaux et traitaient les coureurs comme des vassaux. Les champions se battaient à qui aurait l'entraîneur le plus large, celui dont la manette filait le mieux les gaz. Les conducteurs se faisaient cher payer, réclamant la moitié de tout. Les cyclistes sans nom se trouvaient à la peine, dans l'ombre de faux gros. Ils pénétraient

Paris au soir. Certains arrêtaient la carrière la nuit même, épuisés par six cents kilomètres de lutte – sur une ligne d'arrivée déserte et jonchée de papiers.

Les mieux cotés choisissaient les coureurs. Cette fierté les gonflait un peu plus. Ils décidaient entre eux du vainqueur et du grand perdant. On les entendait l'hiver se vanter d'avoir remporté telle course, tel omnium, sans jamais prononcer le nom du champion qu'ils avaient abrité ; ce pouvait être Coppi, Bobet, Anquetil ou Simpson – les plus grands.

Les mieux titrés se pressaient en bout de table ; ils se servaient les premiers. Les demi-gros poignaient les restes. Ils formaient une sorte de famille. Une maffia soudée au lard gras, qui faisait et défaisait les courses, mais ne rendait jamais le reliquat. Quand les recettes étaient plus belles, ils partageaient des crustacés. Ils se retrouvaient l'hiver sous les chapiteaux des capitales d'Europe, produisant un vacarme sur des anneaux de bois. Beaucoup sont partis ; nombreux survivent dans des banlieues molles où ils n'entraînent plus derrière eux qu'un chariot à commissions.

Ils laissent dans la mémoire un trait de fumée et un almanach de ruses devenues des magies. Ils arboraient des corpulences majuscules et jamais ne se contentaient de ces corps bien nés : ils se voulaient plus gros que les bœufs. Pour former un meilleur abri, ils abandonnaient leurs habits d'appartement. Des maillots en taille sept ou huit, hésitant entre l'extralarge et le vastissime épaississaient leur dos ; ils sectionnaient les élastiques, ouvrant au vent des brèches plus belles. Ils empilaient les uns sous les autres divers cuissards à fonds doublés. Les chaussures, taillées pour des pieds bots, demeuraient posées sur les pédales, à angle ouvert, sur le mode palmé ; les pédales elles-mêmes avaient été changées contre les modèles épais les plus disgracieux.

Épaisseur et disgrâce montraient la science de l'entraîneur. Dans cette lutte à mort contre le vent, les cochers ignoraient le souci d'élégance. Qui les croisait lors des jours de rodage ne les reconnaissait plus à l'heure du départ. Ils avaient doublé. Une variété d'expert en engraissage frauduleux fut attaché à l'organisation de la course. Il arrivait à Poitiers la veille du départ. Devant lui patientait la troupe des entraîneurs accolés aux motos. Il faisait la revue, tapotait de la phalange des maillots amidonnés qui rendaient un son creux ; d'un œil noir suivait les difformités suspectes, les excroissances non humaines ; après quoi il mesurait deux fois les cotes de la machine, passant au crible la liste type des truanderies.

Embéguinés, emmaillotés de bandelettes et de tricots, les obèses se surpassaient : ils surgissaient au matin comme des momies. En remontant doucement à leur hauteur, bien après Poitiers, on pouvait apercevoir, avec l'attention d'un égyptologue, d'énormes clés à molettes lestant les poches déformées du maillot, ou un portefeuille mastoc de vainqueur du Loto, bourré de liasses véritables ou de papier hygiénique. Écœuré par le stratagème, l'adversaire dans la roue s'arrêtait dans la campagne et remplissait ses poches de foin. Mais c'est sur lui, malchance, que le commissaire passait sa rage. Il écopait d'un avertissement.

Sous la citadelle informe des maillots se cachaient des dialecticiens. Ils avaient toujours une explication d'avance ; ils manœuvraient les autorités d'un revers de queue, comme font les vaches, pour éloigner les taons. Il arrivait, en pleine course, quand les motos au bruit d'abeille atteignaient les hautes vitesses, que les manches gonflassent à la façon de tuyères. Les finauds s'étaient enfilés le long des bras, comme des anneaux de danseuses brésiliennes, des pinces à vélo soudées deux à deux, formant un tunnel élargi d'arceaux où le vent de la plaine s'engouffrait. Ils étaient fiers de leurs astuces.

Ils se voulaient des personnages.

Qui se souvient de De Waechter, le moustachu belge? Un œsophage, un vase hors du commun. Un trait de malice dans les yeux. Il refusait avec mépris les petites cylindrées. Il filait le gaz comme personne et allait comme un roi. Plusieurs fois il entraîna Herman Van Springel, référence absolue, avec sept victoires dans Bordeaux-Paris. Il marchait lentement. Tous l'appelaient Clovis.

Qui se souvient du très énorme Longinus Johannes Norbert Koch, qu'on surnommait Nopi? Le Hollandais à la manette de velours cachait sous sa veste de survêtement un corset de fer qui s'ouvrait au plexus par deux battants, cassant l'air comme une armure de chevalier.

Et puis il y avait Jo Goutorbe. Jo le timide, le mangeur de chicons; ses silences le rendaient invincible aux cartes et aux jeux hivernaux. Jo avait mené Anquetil au succès dans le Bordeaux-Paris surhumain de 1965. Après ce coup de manille, Goutorbe ne voulait à sa suite que des cracks. Il partait à bloc, pour affirmer son rang, écrasant d'un doigt les petits poumons; il centrifugeait les cadors de quarante à quatre-vingts kilomètres à l'heure sans une vibration. Il ne parlait pas. Son oreille flottait sur le fil du gaz. Il avait du coton dans le poignet. Jo était la meilleure manette. Et la fée la plus habile dans le registre des tours vestimentaires. Il alla jusqu'à dissimuler sous ses laines un «Mae West», le gilet gonflable des pilotes de chasse ; il l'actionnait dans la plaine et triplait de poitrine. Qu'un commissaire approche, Goutorbe se déballonnait. Il regonflait dès que s'éloignait le danger, grâce à un acolyte acheminant des arrières les cartouches d'air comprimé.

Goutorbe était de complexion ronde. C'était un circulaire. Le vent glissait sur ses chairs en tonnelet. Il laissait derrière lui une bulle propice aux pédaleurs aquilins, fatale aux épatés. Goutorbe se méritait. Il eut un concurrent fabuleux en la personne du grand Ugo.

Ugo Lorenzetti, champion de boxe du Piémont, était son négatif. Un colosse tout en muscles, doté d'un pectoral de bagnard, large et plat, contre quoi le vent s'écrasait. Il transformait la course en épreuve de torse, ménageant derrière lui une ébauche de salon où le coureur vaquait, fumant la pipe ou humant l'air des bois. Le beau Lorenzetti était plus qu'un *sparring* rétribué pour sonner le vent ; c'était un expert, né pour le leurrer.

Ugo jouait de son buste lisse comme d'une voile ; il récupérait une rafale latérale et l'offrait aux coureurs adverses, affolés dans les turbulences, noyés dans le remous. Il poussait la moto, simulant des attaques, jouant du contretemps pour user les jarrets. Ancien pistard, il frottait aux épaules les autres entraîneurs ; il jouait la victoire autant que son champion. Lorenzetti avalait à plus de quatre-vingts la descente de Saint-Rémy de Chevreuse, prenant dix, quinze, vingt mètres d'avance, esquivant un chien, laissant son coureur se nouer à son épaule dans une fresque amoureuse, pour éviter la mort. Son poulain, presque absent, végétait derrière lui dans un cône d'ennui. Lorenzetti était attaché aux champions d'Antonin Magne, l'homme à la blouse de quincaillier. Il emmena Bernard Gauthier à la victoire quatre fois dans Bordeaux-Paris, ainsi que Louison Bobet vêtu du maillot de champion du monde.

Son ascendant psychologique était tel qu'il pouvait ressusciter son coureur dans les dernières ascensions. Quand Gauthier était cuit, qu'il hurlait à l'abandon dans la côte de Dourdan, Lorenzetti répondait avec son accent italien : «Et tu crois que moi je suis pas fatigué, ça fait dix heures que je me tiens droit, j'ai mal partout moi aussi, moi aussi j'ai mal aux bras, moi aussi j'ai mal au cul…» Gauthier serrait les dents et finissait par gagner. Quand Louison Bobet se mettait à grogner, Lorenzetti théorisait dans le bruit d'essaim de la pétoire : «T'as mal maintenant, c'est normal, Gauthier disait pareil, tu vas avoir encore plus mal dans la dernière côte, comme lui, tes poumons vont brûler, t'auras envie de dégueuler, mais t'inquiète pas, c'est ce qui est arrivé à Gauthier, tiens bon, dans une heure on est au Parc, avec le bouquet.»

Dans ce registre imprécis où l'entraîneur et le coureur formaient une espèce de centaure affranchi au tarif des publicités, la morale vacillait. Les entraîneurs s'appropriaient à ce point l'usufruit de la victoire qu'ils finissaient par délivrer un voltage équivalent à celui des coureurs. La course était longue pour tous. Certains prirent l'habitude de se doper comme des coursiers.

Un novice avait intégré la corporation malgré sa faible hauteur et son embonpoint nul. Il se trouva parmi des entraîneurs dans un local fermé. Les colosses se passaient la seringue en silence, se piquant au derrière, dessus les cuissards retournés. Le naïf se raidit quand l'aiguille brilla. «Touche mon cul, t'as mon poing!» Personne ne s'offusqua de ce sursaut de moralité. Il lui fut imposé de remonter à Paris une grande carcasse de coureur maladroit que le vent ballotta dix heures dans sa roue. Peu avant la vallée de Chevreuse, il vit un entraîneur déchaîné, lancé à plus de soixante-dix, qui traversa un village, puis la vitrine du boulanger. Le coureur à sa suite, moins chargé, avait encore l'usage des freins. Il s'était laissé décrocher.

C'est un fait que Bordeaux-Paris fut une course de peu de loi. Elle exerçait une fascination trouble. La corporation des entraîneurs, variété de cartel, que des langues courbes ont comparé au syndic des dockers ou à celui des camionneurs, était représentée par un leader choisi sur le tas pour son ampleur naturelle. Ce fut longtemps le Belge Fernand Wambst, dit «le Frelon». Habile et vicieux dans ses habiletés, il entraînait Simpson en 1965, quand Anquetil réalisa son doublé. Il n'a jamais compris comment Simpson avait pu être battu. Il ne s'en remit pas et dut passer la main.

Demeuré longtemps dans l'ombre de Wambst, Morphyre l'ovoïde prit sa succession. Ancien coureur, il devint plus sanguin encore et colérique, une fois passé taulier. Avec trente-cinq Bordeaux-Paris au compteur, il avait le droit de gueuler. C'est lui qui distribuait les motos la veille au soir; il mariait les coureurs avec les entraîneurs. Tout se décidait à Poitiers, derrière les portes closes du garage «Aux mille pneus», face à la gare. Morphyre dans la pénombre se réservait le meilleur cheval et accouplait sournoisement les entraîneurs petits avec les grandets. Il arrangeait des noces en forme de bizutage. Entre les épreuves sur piste et Bordeaux-Paris, Morphyre avait eu des rois dans son dos, de Bartali, Coppi, Van Steenbergen à Magni, Koblet, Anquetil et Bobet. Un seigneur, avec un fût de Corbières à la place du cou.

À l'arrivée de mon premier Bordeaux-Paris, l'un des derniers de l'Histoire, quand les entraîneurs eurent enlevé les casques, je reconnus un visage.

Dix ans plus tôt, derrière la gare du Nord, dans les entrailles du magasin de cycles CNC, j'avais commandé des roues ultralégères à vingt-huit rayons. Je fis croire qu'elles étaient destinées à un autre que moi. Je me sentais illégitime à rouler sur des roues de champion. Sur le bois râpeux de l'atelier, les deux roues m'attendaient. L'aluminium luisait dans un décor de suie. Un mécano de fort volume, la nuque rase, bourrelée, se tenait assis sur une caisse en pin. Le métal visqueux rissolait sur un petit brasero, entre ses espadrilles à semelles renforcées. À chaque croisement de rayons, il entortillait un fil d'étain fondu qui se solidifiait, laissant les roues rigides pour l'éternité. «Avec des soucoupes pareilles, il va voltiger, ton pote, c'est moi qui te le dis… Des roues comme ça, c'est que pour les grands jours – quand y sera pour la gagne, tu lui diras bien…»

Il se leva, jupitérien, tenant son œuvre à bout de bras. C'était Morphyre. Je quittai la gare du Nord les roues à la main.

Derrière moi, alors que Bordeaux-Paris a disparu, il y a le vélo de jadis; les roues de Morphyre sont là, moins fraîches, cerclées des boyaux de soie. J'attends le jour que l'entraîneur a dit.

LE BIDON DE COPPI

En tout faible corps gît un souci de force.

En tout cycliste du samedi somnole le rêve d'être Coppi.

Être Coppi chaque nuit.

Être Coppi une nuit sur trente depuis plus de trente ans.

Le cerveau effondré aux nuages de l'oreiller ouvre le hublot sur une peinture toujours la même d'orages et d'éclairs au style des marines entrevues au mess des officiers. Mon adolescence flotte sur un songe empli des mêmes montagnes et comme ensevelies sous l'identique châtiment. Mon corps voûté sous l'orage s'élève parmi des pins et des sous-bois aux esquisses effrayantes. J'avance depuis trente ans sur les œuvres au noir de Pellos et Gustave Doré. Je fais ce rêve étrange d'eaux sans fin déversées et pénétrant les os. Je rêve que je suis échappé seul, dans quelque étape dantesque à travers les Alpes ou les Dolomites. Je ne vois rien, la nuit où va mon vélo est plus épaisse que les oreillers où le rêve s'étend.

Je m'endors à Paris et la course revient. Je m'endors à Dakar et le rêve reprend – l'imaginaire Stelvio où se déploie l'imaginaire force. Dans le soir de Nairobi, je réclame au motard mon avance sur le second. Où que je m'endorme, la folie veille et veut son essor parmi les épicéas. Assoupi sur un banc du Pincio, je laisse sous les paupières des éblouissements étrangers au ciel romain : la foudre tombe et le sol inondé devient torrent alpestre sous mes roues.

Je laisse filtrer depuis la jeunesse une même exaltation.

Je subis depuis trente ans le même déclin.

Vient le moment dans le creux de la nuit que ma force vacille. Je serre l'édredon. Je ne sens plus mes jambes. Je deviens liquide. Le motard pose un pied sur l'alluvion des boues. Il me regarde une dernière fois. Il laisse venir sur moi les poursuivants. C'est la fin. Le froid tombe sur les os. Les coureurs sont loin, la nature hostile. Je me vois tel que je suis – faible et si peu conforme à Coppi ; les saisons passent, je perçois les signes de l'âge, les cheveux blancs, la sécheresse apache.

Depuis trente ans le miracle advient d'une auto revenue des arrières pour me sauver. Plus sombre que le paysage aux lueurs fuyantes, une automobile ralentit à ma hauteur – un vaisseau noir où le fantôme de Geminiani apparaît. La vitre s'abaisse doucement sur un visage estompé par la pluie. Geminiani Raphaël, évangéliste en chef, le testamentaire de Coppi.

Il me tend le bidon vert pâle de Fausto.

Je défais le bouchon de liège, je bois.

Geminiani remonte la vitre sans considérer mon âge, depuis trente ans répète vas-y môme ; depuis trente ans, les lèvres humides du bidon de Coppi, j'esquisse un sourire à l'arrivée.

L'ultrafin célinien

Céline vêtu de peaux s'énerve sous le chaume. Il fait froid dans la bicoque. Et le poêle tire mal. Lucette enfourne des blocs de tourbe. Klarskovgaard. Le Danemark. L'hiver. Céline s'est trouvé une planque dans les glaces : passé gelé – oubliés les malfaisants de la rue Girardon, résistants en joie, les vengeurs déchaînés qui veulent ses cheveux. Céline a cassé du juif. Il s'est vidé ; il a vomi les pamphlets vite écrits qui ont séché sa plume et bousillé sa vie.

Céline veut rentrer en France et reprendre à zéro. Il a crevé le plafond avec le *Voyage*. Quand il débarque au Bourget, en costume Poincaré, avec Lucette toujours belle, il veut crever le plancher. Pugilat sous arthrose, Céline veut sa médaille. Il a évité le gibet. Il est en rage. Il va se sacrifier à la langue française, une dernière fois.

Céline augmente sa valise des tracts de sa révolution. C'est le brouillon de *Féerie pour une autre fois*. Céline brise le système à crémaillère ; phrase lâche, syntaxe titubée. Il lance la machine du pícaro sur la marelle de mots touchés par la peste comme lui. Les verbes et les sujets entrent en quarantaine parmi les points de suspension.

La langue flotte, volatile, calcinée.

Céline renaît au chant nouveau. Ferdinand reprend l'ouvrage de sa mère dentellière, resté sur la commode. Il ajoure et reprise ; il déchire, il suture – il ressuscite le monde en aérant le mot.

Quand paraît *Féerie pour une autre fois*, en 1952, Céline tombe sur le parquet. Il a crevé le plafond, mais personne ne voit le ciel dans sa toile d'araignée. Ferdinand propose un plat trop fin à la France des ruminants. Céline vit dans l'obsession de la légèreté. Derrière l'amour des danseuses, une équation paraît : le grand art est celui du vent. La pesanteur est l'apanage d'un pays qui le déteste encore et qu'il hait aussi – un agglomérat de gésiers. Céline voit partout des hommes lourds qui veulent lester son corps et lapider sa prose.

Il faut relire *Féerie* dans ce souffle de paranoïa. Le livre souffre de solitude. Il flotte au milieu des œuvres complètes, tenaillé entre *Voyage* et la trilogie terminale qui s'achève sur *Rigodon*.

Féerie est un art poétique et un manifeste où la légèreté est le critérium. Ce critérium prend forme dans une carcasse d'acier et d'aluminium évidée comme le ruban du vieux télégraphiste. Peu ont noté ce détail : un vélo parasite les survivances de phrases. Une machine ultralégère traverse *Féerie* dans un sifflement. Ce vélo est un personnage. Il a un nom.

L'« Imponder ».

*

« … et le vélo au point léger qu'il avancera presque sans moi, du soupçon de l'envie que je l'enfourche !… marque : l'"Imponder"…

*

« … plus rapide qu'Arlette au sprint ! Vous me verrez !… Arlette qu'est une sylphe pédalière !… Trinité-La Butte : sept foulées ! une brise… c'est elle ! un souffle !… passée ! en montée !

*

« Vous dites : vous aurez une auto ! Non ! L'auto est ventripoteuse, semi-corbillarde à flapis ! Je corbillerai pas ! L'"Imponder" ! Mon vélo ! C'est tout ! Le malade téléphone ? Je vole ! les réflexes ! Les mollets ! poumons de forge ! Je me soigne en soignant les autres ! d'une visite deux coups ! le cycle panacée !

*

« Parce que n'est-ce pas je renonce à rien !… Vif ?… Mort ?… pour moi, hé là ! nulle importance !… Je sors d'ici, *Féerie* m'emporte !… Vous me revoyez plus qu'en vélo… deux, trois vélos !… Ah, plus de brouettes !… plus de brutalités…

*

« Mon "Imponder" ? [...] ma fourche, mes deux roues !… des toiles d'araignée… tout le cycle : cinq kilos ! Cette fragilité dans l'essor !… »

La fragilité dans l'essor.

Le vélo «ultra fin!» de Céline «caracolant d'une pédale l'autre» est le fantôme d'une écriture en mouvement. Il file, il vole, il ne pèse pas. Céline est le «vieillard ailé», il «traverse tout Paris en vélo». Céline conduit sa révolution en s'inspirant d'un bicycle. D'une bécane naît un style à crever le plafond. La jonction frauduleuse du cycle et de la poésie. Le vélo, les danseuses – les beaux alibis de la prose à Ferdinand.

Lucette est la fille d'un fanatique cycliste; pour voir passer le Tour de France, il l'installe dans les arbres. En 1943, elle se rend à la mairie du dix-huitième, sur le vélo de *Féerie,* pour épouser Louis-Ferdinand. Céline aime une femme ailée, il ne l'aime qu'en fée. «Je veux jamais qu'elle manque de vélo... c'est ses sortes d'ailes le vélo... pas qu'elle se trouve une seconde sans ailes. Oh! J'ai prévu... C'est notre luxe!»

L'«Imponder», la danse, Lucette. Le cycle, l'envol, l'amour. Vélo, vole, love. Les obsessions de Céline finissent en anagramme d'escampette. Lorsqu'il décrit son style aérien, son métro émotif, Céline justifie le nom du vélo: «Les rails émotifs!... impondérables!» L'«Imponder» est une mécanique de son sang.

*

Je ne sais plus dans quel livre je l'avais lu. L'un des frères Pélissier, amoureux de *Voyage au bout de la nuit,* avait offert à Céline son vélo dentelé. Serge Laget, grand archiviste à *L'Équipe,* m'a mis sur le chemin.

Il est l'ami du docteur Puyfoulhou, le médecin de Lucette. Natif du Cantal, comme Antonin Magne et les frères Pélissier, le docteur Puyfoulhou ignore cette histoire de vélo. Il promet d'appeler Lucette.

Lucette a quatre-vingt-quinze ans.

Quelques semaines plus tard, le docteur rappelle : « J'ai eu Lucette ! Vous aviez raison. Elle ne se souvient pas exactement de l'année, c'était en 33, peut-être en 37 ou en 38 : Louis a reçu la visite à Montmartre, rue Girardon, de Charles Pélissier, "très bel homme" et d'une femme "splendide et insupportable". Pélissier a offert à Louis son vélo de course. Il l'accrochait à un clou, au plafond du salon. Il a été volé en 1944, avec les manuscrits. Il me semble avoir vu une gravure ou un dessin de Gen Paul qui confirmerait la chose. Derrière Le Vigan, Gen Paul et Marcel Aymé, les amis de Montmartre, il me semble qu'on distingue un vélo suspendu. »

Quand paraît le *Voyage* en 1932, Charles est au sommet. Il a gagné huit étapes du Tour deux ans plus tôt. Un mètre quatre-vingt-huit, quatre-vingt-deux kilos, c'est un Weissmuller métissé de Valentino. Il pédale en gants couleur « beurre frais ».

Le vélo de Pélissier Charles était crocheté au plafond du salon de la rue Girardon ; comme les pages manuscrites que Céline suspendait sur des fils, avec les pinces à linge, au fond du capharnaüm de Meudon. Serge Perrault, le danseur ami de Céline et Lucette, confirme le tableau. Le vélo de Charles est le fantôme de *Féerie pour une autre fois*.

Le spade de Pélissier est le chevau-léger du moderne style célinien.

*

Le 29 mai 1943, Céline à court d'argent prend le vélo et file rue La Boétie, chez le marchand de tableaux Étienne Bignou ; il transporte les huit cent seize pages manuscrites de *Voyage au bout de la nuit* et celles de *Mort à crédit,* qu'il cède contre dix mille francs et un petit Renoir.

*

Quand je vais m'entraîner dans la vallée de Chevreuse, je passe la porte de Vanves ; je file sur Meudon. J'escalade la Route des Gardes en danseuse pour honorer Lucette. Elle demeure à mi-pente dans une bâtisse énorme. Je n'ose pas m'arrêter.

L'OFFRANDE AU PEINTRE

En 1965, le peintre Gen Paul, l'ami de Céline, survivant sur la Butte, reçoit le cadeau d'André Leducq, vainqueur du Tour en 1930 et 1932. Leducq offre à Gen le vélo conservé de sa seconde victoire. Comme Céline avait fait trente ans plus tôt, Gen Paul crochète le vélo au plafond de l'atelier, œuvrant sous des boyaux.

Leducq et Gen Paul étaient sur le départ. Gen Paul avait rêvé de faire cycliste, avant de devenir peintre montmartrois. L'admiration courait d'un monde à l'autre, entre artistes et champions, sans une once de disparité. Ils étaient de la même ruelle. Ils attrapaient le même fruit. En pleines années Pompidou, dans le contre-feu des urbanisations, Gen Paul parut à la télé avec sa mâchoire d'angle forte, ses cheveux de blé. Il se disait le dernier représentant de l'« aristocratie populaire ». Il avait la tête de Lee Marvin et s'exprimait comme les poulbots.

Les frères Pélissier

Des gens d'octroi attestés depuis Philippe Auguste, des gens de péage, des possesseurs de vaches. Paris ouvre la barrière aux hommes des champs, pourvoyeurs en laitages, ce sont les nourrisseurs. Ils marchent à côté des bêtes, portant le frais aux petits et aux vieux. Les femmes en gestation doivent un respect à ces formes rurales intimes avec les animaux. Pour moitié de la ville où ils prennent des mots étranges, pour moitié des pays où l'on observe les choses de près. Ils bougent le heurtoir des hospices ; les nourrisseurs migrés dans les arrondissements avancent dans un bruit d'essieux. Ils jugent la peau des femmes riches et réservent la faisselle aux enfants du médecin.

Ils surveillent leur patois.

À l'exclusive des enfants de bruyère, le métier de laitier-nourrisseur est un artisanat auvergnat – l'un salit de blanc, le bougnat laisse du charbon. Pélissier Jean vient de Polminhac, près du plomb du Cantal. Son voyage s'achève rue Mesnil, au reflux de la place Victor-Hugo. Les Parisiennes sous une moitié d'ombrelle envisagent l'assemblage singulier : Pélissier Jean précipité sur l'écorce de Passy, la paille dans le sabot, une vache au bout du doigt. Il cherche le pré absent, l'absente clôture où appuyer la manche. Il rassemble ses linges et s'établit dans le bourg qu'on appelle Paris. À l'entrée de sa ferme-laiterie, il suspend une plaque : «Vacherie de l'Espérance».

Pélissier Jean s'installe sur les cendres de la Commune. Les troupes prussiennes ont levé le camp. Pélissier Jean fourgonne sur le pavé devenu froid. La ville se repeuple des espèces mammifères décimées par les assiégés. Têtes chaudes à Cayenne, les révoltés sont bannis. La bourgeoisie se grandit d'émeutes éteintes ; son jour s'adoucit de la vie plus cruelle pour les inférieurs. On observe une recrudescence de rats ; sur le mur des Fédérés pullulent des insectes énormes. C'est un fait, la révolution est volée. Sur la Commune morte s'élève un nom, Mac-Mahon, présage de lucanes et de hannetons.

Pélissier Jean surgit menu parmi le menu peuple brisé.

Rimbaud achève ses *Illuminations*.

Il n'y a plus rien à écrire ni espérer.

C'est la désillusion.

Pélissier Jean persévère en paysan de Paris, comme si de rien n'était.

Le père Jean agite ses os toujours et ne dort pas. Il passe d'une à quarante vaches, à l'aube livrant les belles gens du lait issu de la traite nocturne. Il disperse les fourrages, il nettoie les bouteilles, il recompte son argent. Son épouse génère une fille et quatre fils. Henri, Jean, Francis et Charles, qu'ils habillent en livreurs, casquettes hautes et vestes à boutons métal. Levés à quatre heures, les fils Pélissier livrent six cents paliers. La charrette est une tapissière ouverte à tous ses bords et tirée par un cheval que les écolières nourrissent de croissants. Les Pélissier montent des étages. Il n'y a pas d'ascenseur. Après quoi suivent l'école.

Les garçons sont des carcasses considérables, fiévreux, d'une maigreur inquiète. De surnaturels citadins. Le grand Francis surtout, avec ses mains d'équarrisseur. Pour nourrir les bêtes, ils arrachent l'herbe de la place Victor-Hugo. Le père décroche la concession des foins de l'hippodrome de Longchamp où les garçons voient les cyclistes tourner; il garde le regain en usufruit. Francis est dans l'adoration d'Henri, son aîné maigre et brûlant, qui ne veut plus monter le lait ni ramasser le foin. Henri se dresse contre la dictature du père. Il revendique le droit d'aller à vélo.

Au début du siècle, un cycliste à moustache gagne cinquante fois le mois d'un laborieux. Le cyclisme se mesure en équivalence de salaires ouvriers. Henri veut faire champion. Il quitte la maison avant vingt ans et trouve une chambre sous les zincs. La mère monte la fourme et des salaisons, en secret. Au refus du labeur con, Henri s'achète rue de la Pompe une monture de marque «Labor» identique à son sang. Henri conserve du père l'indestructible énergie. C'est un nerveux, sous une mâture faible. Un pétardier. Une grande bouche volcanique de pleine foi dans l'effort. Un vif-argent.

On l'appelle « la Plume ». On l'appelle « la Ficelle ». Henri Pélissier établit sa puissance invisible parmi un monde en fièvre. Les haines deviennent des pensées. Boulanger. Dreyfus. Les ligues, les bombes, Dieu qu'on dit mort et la laïcité. Henri Pélissier se compose dans le laps étrange qui court de la Commune à la

Grande Guerre. Il avance sur pignon fixe dans la ville des fusillés. Les journaux droite et gauche jurent par Nation et Peuple. Mais le dieu caché est l'individu ; chaque citoyen devine un Christ en soi. Chacun veut s'affirmer – hors classe, hors sol, hors religion. Il y va d'un jeu prométhéen accordé aux commis tuyautés de coton, aux paysans pervertis, aux ouvriers glissés de l'édredon syndical. Le peuple des rues syllabe une protestation finie en grondement – ce débridement que chacun veut, cette violence que chacun peut.

Ouvriers à un liard l'heure, cinquante sous la semaine, laissant le tablier.

Enfants soumis à la *vox omnium,* puis s'écartant.

Poètes en rupture.

Morticoles jetant un paquet.

Symbolistes sombrés dans le posage de bombe.

Vadrouilleurs hésitant entre l'art du braquage et le boulevardier.

Anars en mal d'utopie, quittant le phalanstère, une machine infernale sous le bras.

Gouapes de toutes fortunes, tournées sur la misère.

Suburbains de souche et les gars en exil à la table des cafés.

Une foule de désœuvrés.

Loin des berges – des brochets dangereux entre les algues maraudant : libertaires autodidactes aux poils en croc, prophètes des barrières maniant la barre à mine et le fer à friser. Yeux accoutumés aux rituels des riches, épiant la fougue des apaches et les admirables des Batignolles.

Combien enfourchent un cycle et passent de l'inerte au vite?

Comme le prix des vélos baisse, les anglomanes et les *sportsmen* abandonnent le cycle à la convoitise du bas. Les élites du début poussent le jeton sur le chic de l'automobile. Le populaire reprend un emblème de force, laissant l'écrivain sur l'imagerie de l'ouvrier confit par triple peine – esclavage, absinthe et le sceau interlope des maladies.

Cette masse de décavés venus au vélo réalise une idée de surhomme presque nietzschéenne. Records sur piste en tous genres. Courses sur route ralliant des confins. Coursiers sans corde entre des montagnes. Kilométrages outrepassant les cinq cents et les mille kilomètres. Orbites creuses appareillant vers une douleur : le peuple disqualifié reprend la main.

Qui veut le dépassement des limites exige la réévaluation de l'espèce. Des exaltés en caleçons longs retournent comme une peau de lièvre les martyrologues capitalistes et chrétiens. Faire de son corps le lieu d'un sacrifice et d'une rédemption. Grâce. Refus. Souveraineté. Décision. Les hommes de peu se veulent maîtres de soi et d'un vocabulaire. Arrachant tout et ne gardant rien, à l'image de l'hirsute lyrique – le poète de Charleville.

Alexandre Jacob, le dévaliseur aux belles écritures, sert de modèle à Arsène Lupin. Embellisseur de la « reprise individuelle », Maurice Leblanc va partout à vélo. Les écrivains de la marge étrange, Alfred Jarry et

Zo d'Axa, animateur de *L'En Dehors,* feuille anarchiste, paradent sur deux roues. Ils échappent le rang.

Henri Pélissier pénètre le barnum des pédaleurs. Les grandes courses classiques ont vingt ans. Il affirme sa façon racée. Colères réfractaires. Abandons de diva. Il déroule une syntaxe d'irrégulier. C'est une masse de nerfs entrant et sortant les pores. Henri vainc ou se retire. *Aut Caesar, aut nihil.* Ne capitalise pas.

Ces champions initiaux exaltent leurs dissemblances. Ils servent de *spécimens* et prospèrent à la personnelle. Cœurs itinérants. Parleurs épineux. Ce sont des coureurs de route et des grandes bouches, de race poète populacière. Des picaros.

Le cyclisme naît de ces déclassés absorbés vers la preuve au mérite. L'immémorial des noblesses les attire comme un puits : ils méprisent le bourgeois et les ajustements syndicaux, les variantes légalistes de l'*ars politica.* Ils refusent l'encartage et lisent de près les règlements de course. Henri Pélissier est de cette faune. Rétif docile, libertaire soumis. Il étouffe le désespoir sous la provocation ; ses fureurs masquent son dénuement.

Henri avance en chat maigre.

Il se promène Porte Maillot. Il croise l'idole du moment, son double en irrévérences, Petit-Breton Lucien – dit l'Argentin. Henri s'est fait une réputation chez les Indépendants. Petit-Breton l'entraîne dans le grand jeu. Ils partent en Italie. C'est la révélation. Henri Pélissier gagne Milan-San Remo au printemps 1912, le Tour de Lombardie l'automne suivant, dans une atmosphère de violence inouïe. Une chute le retarde sur le vélodrome de Milan. Henri refait son retard et Henri s'impose. La foule l'accuse à tort d'avoir fait tomber Girardengo, le champion italien. La foule envahit la piste et la foule le frappe. Henri se réfugie dans le mirador du juge d'arrivée, auquel les émeutiers essaient de mettre le feu. Il faut près de cent carabiniers pour sauver le grand Pélissier.

Le fils du laitier montre son génie selon les inclinaisons d'un monde à vif. Individu contre foule. Un contre tous. Henri Pélissier survit dans un chaos d'actions exagérées. Il vient à perfection dans le temps de Bonnot. C'est un homme d'impulsion, un vitaliste dans l'époque des bandits tragiques. Il aime le tranchant des reclus, les gestes illégaux. Ayant fait sa preuve physique, il passe outre les règlements et s'offre en fusillé aux bras des organisateurs. Ses exploits sont suivis de dépressions où baissent ses yeux fous. Henri est magnifique. Il brise la chaîne de la servitude volontaire et traîne son boulet.

Face à l'arrogant de Passy, il y a le patron.

Patron et plus-que-père, celui qui invente les courses, décide des parcours, des primes et des lois jusqu'au détail des sous-maillots, du nombre des boyaux, des breuvages admis ou refusés. C'est Henri Desgrange, tyran inventeur du Tour de France et comme le doublon du père cantalou. Desgrange est un bourgeois exalté, ancien clerc de notaire, avocat gris mais cycliste exigeant, homme de la piste et du record, au poitrail brodé d'une chimère – premier recordman du monde de l'heure, l'année où l'on instruit le procès de Dreyfus. Il aime l'argent comme il admire Bonaparte et Napoléon, conquête et empire – la splendeur efficace.

Desgrange sort d'un même chapeau les courses et le journal sportif pour les commenter. Financé par le comte de Dion, l'élu d'un cénacle d'industriels antidreyfusards, Desgrange lance *L'Auto,* aïeul de *L'Équipe.* Il fabrique l'épique pour l'écrire et de suite historier. Grand bourgeois par le ton, la gravité doctorale, les habillements doublés, obsédé d'argent et de rhétorique, il rêve d'élever le peuple à une noblesse du muscle. Cheveux en arrière, il veut des petits héros pour faire de grands papiers, des Achille moulés aux métaphores hellènes. Menton saillant, Henri Desgrange est un individualiste amoureux du terreau. Il s'obsède du sol des Morts et des provinces perdues. Il crée le Tour de France en 1903. Les ventes du journal sont multipliées. Desgrange propose la rehausse physique du pays et une virée vers les bastions de l'Est. Il embauche Maurice Barrès, prince de la jeunesse et visage de mulot. Alsace. Lorraine. Hygiène populaire. La gymnastique après l'atelier. En 1906 et 1907, Maurice Barrès est le grand chroniqueur de *L'Auto* – passé de l'égotisme au clairon.

Desgrange aime la fresque large, les boursouflures ; aimant le pire de Hugo, prolongeant Jules Ferry, il soumet l'épopée à la loi de l'écrit. Desgrange méprise les photographes, jusqu'à sa mort les cantonne en sous-nombre parmi les voitures suiveuses, admoneste et bâtonne. Front lourd, périodes enflées, Desgrange est un Michelet de troisième main : il penche vers une prose vivante – le Tour de France comme romance de l'énergie nationale.

Les champions fournissent sa scripturaire.

Francis Pélissier est moins doué que son aîné – son corps plus haut ne tourne pas si vite. Francis est jeune, plus maigre encore, moins beau. D'un magnétisme assassin, il phosphore dans le noir. Dans ses entrailles dort la puissance de laboureur antique que n'a pas Henri. Il attend pour sévir. Francis quitte la vacherie. Le père gueule entre les pis contre ce sport de cirque qui lui vole ses fils. Francis apprend les rudiments au Vélo Club de Levallois où règne Paul Ruinart, dit « la Ruine », homosexuel à l'œil de verre et héritier des champagnes. Francis approche François Faber, le colosse de Colombes, ancien docker du port de Courbevoie, géant comme lui et l'ami de Jaurès – une puissance hercynienne dont le repas après la pédalée est de six côtelettes et d'une omelette à douze œufs.

La Grande Guerre arrête la poussée d'Henri. Il finit le Tour de France à la deuxième place, quelques semaines avant le départ au front. L'apprentissage rabelaisien de Francis est interrompu.

Desgrange exhorte ses coursiers à massacrer le « boche ». À cinquante-deux ans, Thucydide en poche, il monte au feu. Les hommes aux cuisses d'airain doivent secouer la glaise – et ferrer. Voilà Francis jeté sur les champs de terre. Lapize et Petit-Breton l'Argentin : ventre ouvert, les plus beaux cyclistes vont sombrer. Faber s'écroule d'une balle dans le front. En mars 1915, Jean Pélissier deuxième de la lignée meurt en Argonne d'un éclat d'obus à la carotide – au bois de la Cruerie. Francis survit, de bataille en bataille affirme sa façon. Il flotte entre les shrapnells – Aisne, Somme, Verdun – comme cycliste et agent de liaison au vingt-quatrième régiment d'infanterie. Il sort un ami de la fournaise. Francis est de chaque tuerie. Une balle de mitrailleuse passe son côté gauche et sort par le droit. Il s'entraîne sous les bombes, dans une course à la mort.

Comme Louis-Ferdinand, Francis glisse vers le fond – froid de glace et le vol des corneilles sur le corps des mourants. Croix de guerre et deux citations. Francis en temps de guerre soutient le palmarès de son frère en temps de paix. Le petit Charles Pélissier part en Corrèze chez des parents nourriciers. Henri rejoint Francis au feu.

Que la guerre finisse, Henri et Francis sortent de terre. Cœurs froids ennemis des palpitations : deux spectres. Ils posent la main sur l'idée de la France qui était celle de Desgrange et Barrès à tête de mulot. Les Pélissier s'élèvent en fantômes d'un Occident de boue. Leurs visages ont ce teint d'argenterie oxydée. Soif d'un temps à eux, de mots les leurs, d'une vie à pétrir sous les doigts. La paix revient. Henri et Francis veulent des victoires belles comme celle de la France. Ils reprennent le combat.

La première grande course de l'après-guerre est ce Paris-Roubaix du dimanche 20 avril 1919. Un pèlerinage vers les villes martyres, parmi les ruines et les carcasses des bêtes versées dans le cresson. Desgrange appelle le « retour au sport intense d'antan ». Des croix, cocardes au vent, des tombes sur le chemin. La course ouvre sur une béance. Pour les Pélissier, rien ne sera plus comme avant. Leur frère disparu, Faber et Petit-Breton – leurs deux copains. Au départ tremblent des survivants. Une minute de silence. La mort plus lente le matin et le monde en haillons. Le froid et le vent sévères, la pluie, les trous d'obus, les clous semés par des hommes méchants. Francis fait son début. Il démarre vers Béthune. Francis frappe et secoue sa terre de guerre, à façon punitive, entre les barbelés à l'abandon – n'accordant survie qu'à son frère Henri, abrité dans son dos. Puis Francis s'écroule, abattu par la faim. Francis remet les dernières victuailles – une cartouchière de gruyère et de chocolat. Il regarde

Henri s'éloigner sur le sol labouré par lui. Henri vole vers la victoire et rien ne tient. Un train barre la voie, Henri saute la barrière : il ouvre le wagon et traverse le compartiment devant les voyageurs muets.

Henri remporte neuf classiques dans la même année. Montés sur des pneus ruraux de cinq cents grammes, les Pélissier prennent possession du pays. Rebelles aux catéchismes, ils proposent une manière. Henri est le gagneur – irrésistible dans les occasions supérieures, atteint de nervosisme. Francis fait le chien de garde – gagné de stoïcisme, inaltérable sous les intempéries. Les Pélissier forment une lance bifide. Henri est dans la détente frénétique, Francis de la sape froide hallucinée. Henri décide. L'un calcule et parachève ce que l'autre exécute. Henri déteste les tâches ; Francis est de la lourde peine. Romain Bellenger trouve le mot : Henri est coton à battre, car il est deux.

Ils forment un cartel de rage, un consortium d'âmes froissées.

Cinq ans plus jeune, Francis présente des pieds comme des péniches, des mains comme des amarres. Les frères laitiers approchent le mètre quatre-vingt-dix, quand le paysan médian culmine vingt centimètres plus bas. Henri a les poumons si larges qu'il flotte sur l'eau, ne sachant nager. Ils parlementent, provoquent, ils terrorisent. La génétique des Arvernes laisse l'adversaire muet. Ils sont les géants de légende, pris entre force et poésie, les *bestioni* de l'avant-histoire décrits par Vico – les créateurs de la noblesse primitive.

Les Pélissier n'ont rien à foutre de l'aristocratie du muscle, louanges à Desgrange, paternalisme à l'arnaque et sophocleries de papier. Desgrange veut des gars en stuc, de belles abstractions morales pour caser le panégyrique du cours de français. Il ne voit pas des boyaux roulés en huit sur les bustes, mais des serpents entortillés sur des thyrses. Il reconnaît Patrocle sous le fanion des publicités, pas la sombre splendeur des frères – couleuvres dans la suie.

Une autre guerre commence. Les frères Pélissier se veulent détenteurs et seuls commentateurs de leurs épopées. Desgrange fait face. Il écrit des jugements. Les réfractaires bougent bien sa plume, mais ne lui plaisent pas. Henri gagne tout, dit ce que plaît, ne plie jamais. Desgrange fait gloire à Eugène Christophe, vieux Gaulois soumis, parangon de morale, écrasé de malchance. Il attaque Henri – « l'arrogance de ce grand champion cabochard ». Il oppose un looser aux croqueurs de fruits. Les Pélissier sont l'orgueil ; la punition attend. Christophe est de la classe serviable obéissante. Le patron attise la haine entre le modeste et les éperdus.

La domination de Desgrange se grandit d'un interdit : le Tour de France, son Graal perso, se refuse à Henri. S'il absorbe une à une toutes les classiques, gobe les étapes comme veut, Henri s'effondre sur la dernière marche – où trône le soulier ciré du patron.

Sur le Tour 1919, Henri montre sa supériorité. « Je suis un pur-sang et mes adversaires sont des chevaux de labour. » Christophe et les Belges ulcérés s'agitent contre lui. Le règlement interdit à Francis de secourir son frère repoussé aux arrières, trente-cinq minutes plus loin. Les Pélissier barricadent la chambre d'hôtel. Ils ne repartent pas. Le soir, à la table commune, le directeur sportif a refusé de changer leur piquette contre une bonne bouteille. C'est l'époque où l'on marche au vin rouge et aux alcools clairs. Abandon n'est pas lâcheté, mais prétexte à conchier le règlement de course, plus humiliant qu'un livret ouvrier. Les marques de cycles, Peugeot, Alcyon, Automoto ou La Française, sous le protectorat de Desgrange, imposent leurs noms avant ceux des coureurs.

Les frères Pélissier abandonnent le turf avec un panache qui vaut victoire. «Nous sommes des hommes libres, pas des numéros.» Ils font grève. Desgrange concède tant de lignes à les punir que le pays s'enchante à cette fanfare de Pieds Nickelés. Henri révèle le pouvoir d'un champion sur la foule. On attend ses exploits, frasques et gueulantes.

Il exige la prononciation de son nom.

Desgrange réplique à ce fort en bouche par des foucades de proprio. Il présente les plus sensationnels papiers de réprobation. Henri et Francis l'assurent dans l'invective – genre polémique ancien. «Henri me dit être un grand nerveux. Le fâcheux est qu'on n'a jamais fait un grand champion avec des nerfs.»

Henri prépare ses mèches. Dans la saison suivante, il gagne la troisième étape, explose à la quatrième, il file à la cinquième, une étape de presque cinq cents kilomètres lancée à la nuit noire. Henri abandonne sous la lune, entraînant son équipier. «Laisse donc ça là, c'est un métier de forçat.» Le mot est trouvé.

Desgrange moque sa «nervosité de jolie femme».

Une semaine avant le Paris-Roubaix de l'année vingt-et-une, Desgrange est au sommet de la détestation. «Ces Pélissier commencent à m'exaspérer. Jamais plus leur nom ne sera imprimé à la Une de mon journal.» Les Pélissier s'envolent dans la côte de

Doullens, comme Henri l'a décidé la veille, en une prophétie de teigne dont le frérot est coutumier. Ils finissent un et deux, bravaches – sur des jantes en bois. Avant de mourir, Francis mettra une pierre sur ce jour, le plus grand de sa vie.

Henri et Francis Pélissier ont le peloton aux fesses. Ils plastronnent en corps gras sur la page de *L'Auto*.

Les frères dédaignent le Tour pendant deux étés. Desgrange se repaît, à la manière romaine : «Allons, regrettons-le tous ensemble, Henri ne figurera jamais sur la liste glorieuse […], Henri ne gagnera jamais le Tour, il ne sait pas souffrir!» À trente-trois ans, Henri a tout gagné, classiques et étapes en vrac, sauf l'épreuve royale. Il veut sa preuve ultime sur la terre de France – vaincre Desgrange sur ce sol de Gaule qu'il prétend régler. Henri revient. Pendant neuf étapes, Henri Pélissier domine haut ; vêtu d'une laine violine, il vole sur l'Izoard. Francis en chien pisteur s'arrête au sommet pour mesurer l'avance prise sur Bottecchia. Henri met le maillot jaune, enfin.

Les Italiens jettent des cailloux. Francis fait le coup de poing, rue dans les spectateurs qui ont brisé ses roues. Il achète à Nice une cravache de qualité. Francis protège Henri jusqu'à Paris, le knout en main. Il distribue, au compte du nourrisseur, avoine et chicorée. Henri gagne le Tour. Six fanfares attendent et des milliers de gens en habits de noce. La foule si considérable l'empêche de quitter le vélodrome. Francis fouette l'air de Paris à grands moulinets, lacérant supporters et amis – pour délivrer Henri. Une liesse naît.

Desgrange ajuste ses chroniques, la foule n'aimant qu'eux. «La vérité, c'est que c'est aujourd'hui le lévrier qui l'emporte sur l'homme épais […] que nous croyions être pour toujours l'homme type du Tour de France. C'est le lévrier, le nerveux, c'est, je puis le dire, l'intellectuel.» Les ventes de *L'Auto* croissent. «Les Pélissier sont des as de première grandeur.» Desgrange augmente son patrimoine par discorde et réconciliation.

Les lévriers traversent un pays semé de douleur; sur les œuvres funéraires, l'œuvre de poussière des Pélissier fait l'emblème des gens meurtris. Des milliers de mains vont sur l'échine des animaux divins – qui étaient chiens errants au quartier de l'Étoile.

Henri donne un visage au Soldat inconnu. Les frères n'apparaissent pas au *Grand Armorial de France* en sept volumes. Henri Pélissier est Henri de France. Francis est nommé duc, chef des armées. Forte tête. Fortes attaches. Les abatis canailles.

Un percheron soumis au génie de l'aîné.

Francis recèle insultes et beignes en stock. Dépliant le boyau enroulé sur son buste, il l'empoigne comme une schlague et fustige la paresse de l'échappé. Il ne peut prétendre au Tour ni aux classiques de feu. Francis devient l'homme des courses inhumaines. Son nom augmente dans le cataclysme. Bordeaux-Paris est son jardin. Il y promène, nuit d'abord, puis jour, le morphotype du cerbère. Il court neuf de ces derbys sans fin, en gagne deux; deux lui échappent – d'une largeur de tranchée. Trois fois champion de France, c'est un expert des vallons franciliens. Francis est l'homme des lisières, du mâchefer, de la macéra-tion. Protégeant les biens du frère, il tire le marron du feu. Il ondule dans les duretés – au souvenir de l'ancienne peuplade. Où la mort rôde, il prend la laisse. La fatigue attise sa lucidité. C'est une nature invariable, tatouée de l'intérieur.

Une photo existe d'un Paris-Tours si dur qu'aucun mot ne va. Une photo noir et blanc. Le blanc est dominant, le noir réduit aux silhouettes de survivants glissant sur le monde neigeux. Les traces des boyaux sont des sinusoïdes. Henri ne vaincra pas ; il offre son imper à Francis et Francis s'échappe. Henri disparaît dans la pâleur où disparaissent et le sol et les cieux. Les essuie-glaces des autos ont gelé. Les conducteurs s'agitent sous les pelisses. Francis fuit au ralenti sous une noce de pluie et de glace mêlées ; il condamne sa viande à défibrillation par le froid. Derrière lui serpente Christophe, le Vieux Gaulois, plié sur sa vengeance. Le grand Francis a enduit ses jambes de graisse. Au ravitaillement de Châteaudun, il engloutit deux litres de bouillon, un quart de poulet, il porte une bouteille de fine à ses lèvres bleues. Sous les gants d'égoutier, les doigts n'obéissent plus. Francis crève et décolle le boyau avec les dents. Francis repart. Francis rejoint Christophe qui l'a repassé ; vers Azay-le-Rideau, Francis s'échappe définitivement.

On descend de vélo un vainqueur pitoyable au cuissard à quatre fonds feuilleté chamois, laine et soie, dont les chaussettes à trois épaisseurs sont déchiquetées. Durcies par le gel, les courroies de cale-pieds ont ouvert le cuir des souliers. Des hommes en manteau portent vers le baquet d'eau chaude un gaillard d'un mètre quatre-vingt-huit et quatre-vingts kilos qui sourit.

Francis gagne par la plus basse moyenne jamais constatée. C'est la sorte de jour où Francis brille mieux. Quand il met cap au pire. Quand il n'a plus à travailler le sol où culmine Henri.

Dans la saison suivante, l'histoire des Pélissier passe un échelon. Henri a balancé au fossé son second maillot. Le règlement interdit au coureur de rien jeter en course. Laines, foulards et boyaux : tout est vérifié, des commissaires en armure comptent les guenilles. Henri Desgrange met à l'amende Henri Pélissier. C'en est trop. À Coutances, les frères se retirent. Un journaliste du *Petit Parisien* les rejoint au Café de la Gare. Albert Londres porte le chapeau. Il fait la chronique des servages inventés par l'Occident, bagne, traite des Noirs et des Blanches. Coudes sur la nappe, les Pélissier se font face. Devant un bol de chocolat, tirant sur les casquettes cerclées de hublots, ils posent leurs grosses pattes sur l'album des mythologies. Ils poussent avec les miettes les métaphores du vieux.

« Vous n'avez pas idée de ce que c'est que le Tour de France, dit Henri, c'est un calvaire. Et encore, le chemin de croix n'avait que quatorze stations, tandis que le nôtre en compte quinze. Nous souffrons du départ à l'arrivée. »

Il sort une fiole de son sac. « Ça, c'est de la cocaïne pour les yeux, et ça, du chloroforme pour les gencives. »

« Bref, dit Francis, nous marchons à la dynamite. »

« La boue ôtée, nous sommes blancs comme des suaires, reprend Henri, la diarrhée nous vide, le soir, dans notre chambre, on danse la gigue comme saint Guy au lieu de dormir. »

Francis lâche ces phrases de plomb qui lui viendront jusqu'au décès.

«Et la viande de notre corps ne tient plus à notre squelette.»

«Et les ongles des pieds, j'en perds six sur dix. Ils tombent petit à petit à chaque étape. Mais ils renaissent pour l'année suivante.»

«Ce que nous ferions pas faire à des mulets, nous le faisons. On n'est pas des fainéants, s'emporte l'aîné, mais, au nom de Dieu, qu'on ne nous embête pas. Nous acceptons le tourment, mais nous ne voulons pas de vexations. Je m'appelle Pélissier et non Azor!»

Albert Londres note tout.

Henri conclut.

«Un jour viendra où ils nous mettront du plomb dans les poches parce qu'ils prétendront que Dieu a fait l'homme trop léger. Si on continue comme ça, il n'y aura bientôt que des clochards, et plus d'artistes.»

Artistes et bagnards. Insoumis d'un temps où les maillots étaient couleur chaudron. Londres trouve le titre fameux : «Les forçats de la route».

Les frères écopent d'une amende de six cents francs qui n'importe pas. Le duel est gagné. Desgrange écope de l'amende plus lourde : ses écritures sombrent, boyau sous l'épine; sa rhétorique barrésienne déballonne d'un trait. Les Pélissier mettent le discrédit sur le vieux maton, assimilé par le public aux gardes-chiourmes de Biribi. Les cyclistes font les héros d'une légende venue dans le temps présent du cinéma et des partis ouvriers. Ils ressuscitent le souvenir des échauffés de l'avant-boucherie. Loin des fumées moutardes des usines, loin des foins qu'on brûle, les

Pélissier bouillonnent dans l'entre-deux, jambières dans le vide, dans la classe inexorable des forcenés.

Le cyclisme n'est plus un sport.

Par les deux garçons-laitiers de Passy, le cyclisme advient comme phénomène de littérature.

Les Pélissier transforment l'épopée patricienne en saga populo.

D'une fratrie d'affamés fondent une dynastie.

Ils modifient le sens des travaux. Ils affinent les outils. Ils transforment leurs machines en œuvres; leur révolution englobe l'alchimie des métaux. Ils étendent le mystère de l'extraction à l'aluminium et aux aciers trempés : la finesse est la conclusion. Ils imposent les « vélos en dentelles », le mot est d'eux. Rayonnage des roues diminué. Suppression de quatre et huit rayons. Les Pélissier dédaignent le poids du peuple et la graisse bourgeoise; ils éludent à l'émeri le principe d'inertie. Henri efface cinquante grammes sur une jante en bois, la feuille de papier de verre sous la main, masquant sa ruse d'un vernis. Il fait venir d'Italie des boyaux dix grammes plus légers, qu'il met à sécher à l'ombre comme les fromages. Francis achève le cérémonial, augmentant la longueur des manivelles, selon le Credo des Géants.

Les Pélissier réfutent l'entraînement interminable au mode de l'atelier. Instaurent avant Coppi les entraînements brûlants et secs – « les sorties qui font mal ». La veille des courses, les Pélissier téléphonent à l'Office national de météorologie sous un faux nom : ils infèrent des nuages la largeur des pneumatiques et la cote de l'assaut. Au matin des classiques, les coureurs épient ces vélos censément dotés de pouvoirs inédits.

Henri laisse voir de faux braquets que tous exigent en urgence du mécano. Au moment du départ, Henri ôte la roue factice et sort la vraie. Ils imposent leurs lois, leurs trouvailles, leurs trucs. Le vieux soigneur Henri Manchon leur passe des couleurs.

En 1925, Desgrange tente un dernier coup de fouet. Il ordonne l'eau dans les bidons. Francis le remet. « De l'eau dans nos estomacs d'acier, ça va rouiller ! » La France rit. Desgrange s'enferme dans son bureau coffre-fort. Lui vient l'idée d'embrouiller la génétique des deux mariolles. Il met la main sur l'épaule de Charles, le petit frère, plus beau et haut que les deux.

Charles est la maturation paisible des aînés, une jeunesse grandie dans un logement plus doux ; il est la convergence de deux essences brutes – l'intellect nerveux et le psychisme du galérien. Un lys sur le liseron de l'anarchisme droitier. Où Henri Pélissier et Henri Desgrange s'affrontent comme chien et loup, Charles fignole une esthétique accordée à la statuaire du patron. Il pose Morand sur Darien. Il s'affirme pistard lisse, sprinter gandin. Charles pénètre les appartements du pacha. Il gagne sur route le jour ; il brille sur piste la nuit. Sa célébrité dépasse celle des frères. Desgrange ferme les yeux sur ses petites tricheries ; il accorde le dandy de grand chemin à sa dernière compagne, Jeanne Deley, artiste peintre à chair fade. Ils passent ensemble des vacances et le jour de l'an. Charles pactise avec l'ennemi ancestral – pantalons pincés, ticket *first class*, il s'épuise dans l'incestueux.

Il roule sur la machine dentelée par les frangins. Il côtoie les demi-mondaines parfumées au muguet de Coty. Il met son sceau sur les êtres venus à lui. Les hommes du métier médisent son épouse, la Pélissette.

Charles suit les faveurs du monde. Il croise les artistes. Il lit des livres. Il dévore *Voyage au bout de la nuit*. Charles voit une chose que les frères ne voient pas. Il escalade Montmartre et laisse à Céline la machine en offrande – l'œuvre finale est apesanteur.

Charles arrive au bout de l'histoire. Les frères ont inventé le cyclisme comme écriture organique, fourguant au populaire thèmes et mythologies pour trente ans. Céline récupère la machine infernale. Il aboutit la prose des trois salsifis.

Le vélo si léger est le legs d'amour – l'armorial des nourrisseurs.

J'encadre la scène grandiose : le vélo en suspens parmi les bribes chignolées de Ferdinand.

Céline l'a écrit – la vraie noblesse, ce sont les jambes qui la confèrent. Visitant Céline, Charles accomplit son karma. Le beau Charles descend la Butte. Il courbe dans le soir et ne revient pas.

Henri et Francis abandonnent le maillot. Tout devient sombre pour Henri. Sa femme Leslie se suicide. Trois ans plus tard, l'amoureuse nouvelle abat le grand nerveux au mode ancien, d'une balle dans la carotide, avec le revolver de la suicidée.

Henri n'est plus là : l'essuyer de tempêtes devient le patron. Francis aux grosses pognes renaît en détenteur de sciences mi-secrètes. Il sort du vide les talents moindres qui prouvent son savoir. Il devient le mentor le plus célèbre de son temps.

Francis fait le doge dans sa ferme de Montalet-le-Bois, près de Meulan. Il ne fait rien comme les anciens. Il tient un élevage de poulets nourris de grains marinés dans la strychnine. Il tient un élevage de coureurs à proximité, qu'il gave des œufs et de la chair des volatiles, infusant leur sang des extraits du poison lentement métabolisé. Francis vient du temps où Henri était vivant, où vivre était risqué. Il connaît ses toxiques ; il nettoie à la parentale, d'une purge au lait. Il surgit dans l'après-guerre sur le châssis d'une Hotchkiss Artois rouge dont il a ôté le pare-chocs et descellé les portes arrière.

Il flotte, immense, debout sur le marchepied.

Le port du condottiere et des yeux de noyeur de chats.

Il devient « le Sorcier ».

Bordeaux-Paris a fait sa réputation de coureur : il y montre comme directeur sportif une maîtrise d'exception – dénichant des jeunots qu'il transforme en glorieux. Sa force émane par la vitre baissée. Sa puissance de nourrisseur. Que le champion approche la rupture, Francis depuis la voiture tend une épuisette chargée d'une banane mise à nu. Il soulage les mâchoires inertes du supplicié, lui enfournant les boulettes de viande qu'il a soi-même mâchouillées. Quand plus rien n'y fait, ni les paroles, ni le champagne, le grand Francis abandonne le volant au mécanicien. Il s'installe en costume sur le bord de l'auto – un bras crocheté au pavillon, dans l'autre une éponge humide qu'il applique sur la nuque du garçon, poussant son homme à cinquante à l'heure dans la côte de Chevreuse.

Une paume d'assommeur sur une nuque d'oiseau.

Cette fraude sublime demeure sous l'appellation de «relais à l'éponge». À tout phénomène correspond un axiome du Grand : «Pour gagner Bordeaux-Paris, il faut pouvoir digérer des boulons.»

Jean Noret, René Berton et Fernand Mithouard avant-guerre, Ange Le Strat après la Libération sont ses plus beaux sujets. Jusqu'à ce qu'il croise le jeune Anquetil, qui refuse ses lois. La noblesse à l'arrache des Pélissier est tombée sur la page du vieux Céline : elle se fait chair dans l'enveloppe d'un roitelet.

Anquetil est l'élu. Le corps pâle que les comètes ont dit. Nerfs à vif. Hargne transcendante. Puissance plasmatique. Élégance fluide. Ce corps d'ivoire est le blason sur quoi recroisent les emblèmes des premiers sangs – Charles, Francis et Henri Pélissier.

Mais Anquetil s'éloigne, comme il était venu. Francis perd son rocker blondinet, le Christ normand que leur histoire appelait. Il reprend sa manière commune avec des coureurs communs. Sa théorie de la violence légitime demeure au tiède, près du chauffe-plat à feux séparés où somnolent l'aligot et les choux cousus avec le fil conservé de maman. Francis Pélissier suit son chemin luciférien. Sa Hotchkiss rouge traverse le peloton. Il ne klaxonne qu'une fois, frôle les gars, cuisse contre tôle – puis balance au talus. Il protège ses jeunots comme il couvait Henri. Il percute dans Alger un motard, qui encombrait sa route. Depuis trente ans se laisse haïr. Un homme à ne pas effleurer, doublure des escarpes les plus effrayants. Un fieffé sorti de la pénombre des trimardeurs. Une manière lasse, des ruses à deux sous pour rendre magique sa truande et funébriser le vieux temps, quand il sillonnait Paris à la flamme du gaz.

Il met la Hotchkiss contre le boyau arrière de son poulain et jure de l'écraser dans les côtes s'il ralentit. Dans le même temps, il l'encourage et promet contre victoire la chair de Suzanne, la serveuse pas avare de sa brasserie.

Sa violence choque, et sa grossièreté. Il aime le malentendu, argotant les caves, étant d'un siècle trop lointain pour être compris. Il a connu les assommés de Saint-Ouen, ceux du faubourg et les retours de bagne. Coudoyant la misère, flirtant avec le luxe. Pas de principes, mais une philosophie boitant entre le ouste et le pas vu pas pris. Le Grand demeure fidèle à l'obsession, au lien fatal de Henri et de La Boétie – ne se laisser jamais apprivoiser à la sujétion. Et point. Traitant les coureurs à sa guise de binoclard ou de nabot, de traîne-patins ou d'asthmatique, devançant Audiard. Il parle de lui à la troisième personne, d'une voix étouffée à la Gabin.

Il se compose un visage froid, plissant l'œil pour éviter la fumée. Le nez poivré de caporal. Il joue le margoulin, grave comme un député, un doigt sur la matraque, mimant le prince-abbé. Francis en rajoute. Fronde et filoute, diapré de vices. En voyou ostensible, diffusant ses méfaits. C'est, avant Magne, Guimard et Geminiani, l'expert en cyclisme le plus redoutable. Aussi un débiteur de sornettes, rapide en crapuleries.

Il prépare ceux qui valent moins et rembarrent les champions qui veulent un cachet : « Prends-moi deux aspirines, ça calmera tes nerfs. » Vieux chien déguisé en lord, il vanne le célibataire avachi sur un Byrrh. Il se laisse croire plus buveur qu'il n'est, étant plus alcoolique qu'il ne l'imagine. Rogue sous le costard gris de chez Casimir Fabre «Tailleur civil et militaire», boulevard Magenta. Dans la poche intérieure, la clé de l'armoire à pastis.

Monsieur Francis.

Depuis sa brasserie de Mantes, le vieux Francis enfume et arsouille les journalistes, dans les retours de soupe aux navets, comme ils l'avaient fait jadis tous les deux – Henri et lui – avec Albert Londres au bistrot de Coutances. Et gare aux téméraires, les jeunes pigistes à l'ironie : «Un coup de tête dans la gueule, trois dents en moins, c'est un peu emmerdant pour débuter dans le métier.»

Il juge un coursier à la grosseur des veines sur les mains. À la finesse des roues. Un homme sans veines ne peut rien. Qui laisse une empreinte de pédale au cuir de sa semelle cycle en grossier. Il impose des hivers au petit braquet de 46 × 18, un moulin à vent. Francis préconise le massage à l'huile d'olive contre les embrocations qui attaquent l'épiderme. Que le soleil se lève, il sort du coffre les roues à vingt-quatre rayons. C'est un boucher artiste que la précision remue. Un paysan amélioré sur qui le temps arrive.

La Hotchkiss est à la casse. Francis prend son souffle. Le Grand passe aux aveux. «Londres était un fameux reporter, mais il ne savait pas grand-chose du cyclisme. Nous l'avons bluffé, avec notre cocaïne et nos pilules! Ça nous amusait d'emmerder Desgrange.»

Francis croise au loin des vertus théologales – foi, espérance, charité. La mort ne s'annonce pas commode. Sa femme fait venir le curé. Francis met la dernière couche, les deux mains sur le drap. « Je ne désespère pas d'aller au paradis, mais je ferai un petit détour par l'enfer pour rendre visite à quelques copains. »

Insuffisant cardiaque.

Et mécréant.

Francis meurt le 22 février 1959.

Gueulant comme Bonnot encerclé à Choisy :

« J'en ai marre ! Qu'on en finisse ! »

Le Baron noir

Un grimpeur maigre. En morceaux secs, arides, ossus. Des mollets d'un feuilleté tendineux. Il traverse la vallée de Chevreuse. Il agit dans le sombre et pactise sous le couvert des bois.

Près des ruines de Port-Royal fleurissent des pentes étroites. Elles font un tremplin vers le ciel. C'est le lieu d'une retraite, un début d'abandon. Beaucoup d'arbres, peu d'humains. La plaine s'effondre sur des solitudes. C'est un paysage en repli où passe l'ombre des animaux.

On sait qu'il montait vite. Il arrivait dans le dos. Le courtier passe l'ardoise sous la manche ; il effaçait les pentes d'un souffle.

Il n'existe pas d'image de lui. Il allait vêtu de noir, sans visage et sans voix. Les montées douces et raides étaient sa possession. Il vivait d'exploits gratuits, annulant ses pouvoirs où finissent les ascensions. Au commencement des plaines il s'évanouissait.

Il s'échappait en fantôme des ruines jansénistes. Il prenait la couleur des foins derrière un mur de grange. Il se transformait en pierre comme les chamans. Il roulait sur un vélo noir comme ses cheveux.

Les coureurs parisiens s'entraînent depuis un siècle dans cette vallée en falaises et en effondrements. La côte de Buc, celles de Saint-Rémy, de Chevreuse, la côte de la Madeleine, celles de Port-Royal et de Châteaufort, la côte des Dix-Sept Tournants, la côte de l'Homme mort. Nombreux l'ont vu filer sur des parodies de mont.

Trois générations ont façonné un portrait en morceaux. Les cyclistes s'accrochaient à sa roue, notant un détail neuf. C'est un fait reconnu qu'il foudroyait assis, le buste immobile. Il allait dix kilomètres plus vite sans un remuement.

C'était un rôdeur fluide.

Il avait surgi une première fois à la fin des années soixante-dix. Il allait sur un vélo noir à six pignons. Il était jeune, mais il roulait plus vieux que son âge. Il avait brûlé l'arrogance dans son sang. Il laissait un sillage calme, ne se retournant pas, suivant comme Quichotte des invisibles. Il doublait large par la gauche. Il évitait l'air du temps.

C'est un sprinteur de Boulogne, foudroyé dans sa roue, qui trouva un surnom.

Le Baron noir.

Les coureurs l'attendaient en groupe, le sourire en coin ; ils gardaient une angoisse au cœur et le doigt sur la manette du dérailleur. Le Baron noir surgissait vite et tôt. Les hommes jeunes se liguaient derrière lui dans des grincements. Saison après saison, des coursiers en pleine fraîcheur ont sprinté sur son ombre, sont morts à son pédalier ; se sont effondrés, poumons en feu, au verdict de ses lèvres closes.

C'était un spectre de feuilletons pour enfants. Il propageait l'onde d'une vengeance. Il donnait la justice sous les arbres, dans les vaux de Cernay.

Son vélo n'émettait pas un bruit, homme et machine allant sur le même serment.

Vingt ans plus tard, le Baron noir était toujours là. Il paraissait moins souvent. Il doublait moins vite les coureurs, mais il les doublait. Un jeune grimpeur de Corbeil le pistait depuis des mois. Il voulait être le premier à briser le sortilège. C'était en mai. Il allait prendre le chemin du retour. Il avait la nuque douloureuse à force de regarder dans son dos. Comme il entamait la rampe de Choiseul, il entendit le sifflement que les anciens avaient dit. Le sifflement des boyaux de soie.

Le jeune homme se retourna. Le Baron noir était là. Il allait vite et droit. Il ne regardait pas. Le coureur de Corbeil découvrit une peau sombre et creusée, des tempes déjà claires et un rictus où la douleur dormait, sous une glaciation. Le Baron était vieux, il avait plus de quarante ans. Il enroulait un plateau de fort diamètre sur un vélo à six vitesses, à manettes et leviers. Le soir, face à l'entraîneur, le jeunot s'excusa. Il avait tout donné et joué des vingt vitesses à clenche automatique, rien n'y avait fait. Il était temps d'en finir – le vieux se haussait peut-être aux poisons. Le garçon avait eu le temps de relever sur le cadre du Baron un début de lettrages surlignés à la main, *frangar* quelque chose. Le vieux l'avait décroché. Il n'avait pas eu le temps de lire la fin.

De club en club, on répétait l'histoire. Le Baron noir demeura un an sans se montrer. Il parut un automne à mi-pente des Dix-Sept Tournants. Il avait ces jambes toujours de Coppi, elles tremblaient un peu. Il volait au prix d'un arrachement. Ses rouflaquettes descendaient plus bas. Coiffé d'un casque en cuir à boudins, noir sur la chevelure blanchie, il s'enfonçait à rebours du temps.

Il chevauchait une machine révolue, à fourche plus cintrée, aux freins plus fins, au guidon étroit. Le vélo n'avait qu'un seul plateau et un seul pignon. C'est Maurice, le cycliste charcutier de Suresnes, qui comprit le premier. Le Baron noir roulait sur une bécane à braquet unique des années d'avant-guerre; de celles qu'on utilisait dans ces mêmes vallées pour le Grand Prix des Nations; il souffrait d'un problème d'horloge.

Un dimanche matin, les gars de Rueil virent le Baron noir monter la côte de l'Homme mort sur un vélo Alcyon. Deux bidons en alu tenaient à la potence, fermés d'un bouchon de liège relié par du rafia. Il portait un maillot de laine noire, épaissi de trois poches et de boutons de nacre. Il prit un chemin de terre et s'éclipsa.

Comme le vieillard travesti du *Plaisir* de Max Ophüls – qui embrasait les bals jusqu'à l'épuisement –, le Baron noir pédalait en arrière dans des habits de location. À mesure qu'il venait sur l'âge, son corps épousait des machines consumées sur lesquelles il copiait sa devise au pinceau.

Il achevait une montée avec une faible avance, quand son boyau se mit à perdre. Un gamin en jersey revint à sa hauteur, deux secondes à peine; le vieux spectre s'embrasa et reprit vingt mètres. Le Baron noir disparut à l'angle d'une auberge, dans un trompe-l'œil de hangars et des monceaux de pneus usagés.

Le gamin s'arrêta. Il descendit de vélo et entra dans l'auberge sur ses cales, en boitant. Le patron n'avait vu personne. Le gamin avait eu le temps de lire sur le cadre ce qui semblait être la fin d'un nom… *non flectar…* et quelque chose avant.

Le Baron noir ne quitta plus les bois.

C'est un rouleur lettré, le champion du club de Meudon, qui fit le rapprochement. Il avait gagné le Tour de l'Essonne et finissait une thèse sur Épictète. Il connaissait l'histoire du Baron, qu'il n'avait jamais vu. Il colla *frangar* à *non flectar* et consulta le Gaffiot.

«Je romps, mais ne plie pas.»

Il copia la devise du Baron noir au dos d'un ticket de caisse et la scotcha sur le frigo.

L'harmonica

Loin de la métropole, il faisait chaud. Il roulait seul sous le ciel d'Algérie. Comme aucun suiveur ne prenait les écarts, il s'arrêta et fit lui-même le pointage. Les autres étaient loin, mais où ? André Brûlé flottait sous le soleil, la gourde entre les doigts. S'échapper, à quoi bon, la montre indiquait trois minutes. Une belle avance. Il reprit sa place dans le peloton.

C'était l'homme des actions étranges. Comme le Tour de France passait à Saint-Tropez, il plongea dans la mer ; les autres s'arrêtèrent et plongèrent avec lui.

Il se préparait des bidons de bière chaptalisés à trois sucres.

C'était l'homme des farces bancales. Il s'échappait d'un bond et se cachait plus loin sous un pignon de ferme. Quand les autres étaient tous passés devant lui, Brûlé sortait du bois et suivait la troupe à distance, casquette baissée. Il surgissait dans l'ultime seconde et gagnait le sprint à la manière d'un revenant. Les organisateurs l'avaient à l'œil. Il partait aux avants, déboulait des arrières.

André Brûlé niait l'irréversibilité du mouvement. Il vérifiait lui-même, sous le vent, les paradoxes énoncés par Héraclite et Zénon ; André se voulait immerger deux fois dans le même peloton sans arracher les pennes de la flèche du temps. Nulle chose ne demeure ce qu'elle est et passe en son contraire. Dédé rêvait de s'échapper et se voir s'échappant.

Il voulait élucider le mystère du campionissime, qui se mouvait en demi-dieu, buste immobile, bouche fermée. L'orgueil lui vint de ne plus respirer et de conformer son image à celle de Coppi. La montagne apparut ; il escalada le premier kilomètre en apnée dans le dos de Fausto, jouant de l'harmonica.

C'était un élégant de Clamart, une valeur supérieure qui se perdit en facéties et que Goddet scia, en maton de Passy.

Il tenait un bistrot sur la route de Malakoff.

PHOTOGRAPHIES

Le cyclisme et la photographie viennent jumeaux dans une nation de paysans. L'art de l'instantané et le mystère du mouvement perpétué naissent ensemble dans la France des semeurs et des vachers. L'Angleterre et la Belgique patronnent les modernités efficaces, chimie et sidérurgie lourdes, sous des flots de vapeurs. La France n'argumente pas une force ; elle invente la photographie et la bicyclette : elle dévoile l'invisible et ce geste d'aller sur la mouvance vide.

Les premiers cyclistes et les premiers photographes font ambassade légère.

Le reporter du temps héroïque prend la route un trépied sous le bras. Il quitte le studio à faux ciel et nuages forcés. Il transporte des plaques de verre et déclenche à grands frais de magnésie. Il véhicule des transparences. C'est un homme détaché. Les sites les mieux alliés au grandiose de l'effort humain attendent son drap noir. C'est un connaisseur dont l'art sur les cimes prend le prestige des fresques. Loin du tumulte du sprint et des départs en masse, les Alpes permettent l'isolement du sujet. Composition classique du héros dans la pose fourbue. Héraclès terreux arrachant le boyau. Poséidon s'élevant d'une fosse de fumier.

La puissance du monde occupe l'arrière-plan qu'on nomme panorama. L'homme est petit et grand ; le Tour de France dans les clichés chargés au noir dit l'ampleur de son propos. Des enfants de Paris, des provinciaux jamais sortis de leurs intérieurs friturés découvrent la beauté du pays.

Les premiers photographes – cantonnés par Desgrange dans l'artisanat technique sous-alphabétisé – étaient des découvreurs ; leurs métaphores sous oxydes n'empruntaient pas. Ils fixaient la poésie des brumes sans référer à la mare de Sand ; ils agençaient un ciel biblique et des casquettes de bagne sans maroufler Hugo. Ils montraient un art doux et des coureurs mal vêtus passant à pied le Galibier, nourris par des femmes en habits de dimanche, boissonnés par des agricoles leurs égaux dont les yeux crevaient d'admiration. Ils présentaient le théâtre le plus exact d'un pays végétal et comptable de ses majestés. Les automobiles ne masquaient pas le chemin. Les motards ne couvraient pas la plaine, n'ayant pas de foule à gendarmer, sauf des ébahis à bouger du gravier.

Le blanc et le noir riche en argent donnaient le spectacle de visages soumis à l'usure du travail des prés, aux misères de l'usine et de l'âge venu tôt. Les bidons en alu ordonnaient l'échelle des gris. La paix civile était plus véritable sur les clichés. Les classes d'âge s'accotaient sous l'étendard Dubonnet ; ouvriers et contremaîtres échangeaient des odeurs à l'ombre du panneau Velox.

J'aimais fouiner dans les archives photos de *L'Équipe* où peu de rédacteurs allaient. Je venais marauder les splendeurs que je n'avais pas lues, voir la gueule de Merckx dans les secondes précédant la battue – les dix clichés d'Ocaña effondré sous l'orage. Je notais les références, numéro de la planche et numéro de la photo sur le papier d'ocre colonial. Tatave attendait dans le noir, vêtu d'un blanc douteux, les vapeurs s'élevant des cuves derrière lui. Une lumière jaunâtre laissait sur la physionomie du gros dégueulasse de Reiser une radiance affectueuse. J'aimais Tatave venu des entrailles de la terre ou d'un deux-pièces d'Argenteuil empli de disques de jazz et de *Play-boy* du temps des Capétiens. J'aimais Tatave plongeant ses pognes nues dans le révélateur, puis dans le fixateur, en un double baptême redoublant la lèpre qui mangeait ses os. J'imaginais Tatave avec des chats et sans femme pour s'inquiéter de ses mains. Il exécutait pépère mes tirages en surnombre. «Bonjour, mon petit Philippe, comment ça va mon grand?» Nous observions le visage de Vietto émergeant des eaux. Il arrivait certains jours que Tatave s'endormît debout, la Gauloise aux lèvres, les ongles dans le bain.

Je retournais à mon bureau avec dix photos de Coppi à peine sèches, que je planquais dans le tiroir du bas. J'écrivais les courses du jour en rêvant les images d'avant. Entre deux paragraphes, je vérifiais que mes Fausto ne collaient pas entre eux.

Je passais mon hiver à éplucher un alphabétique de classeurs géants. Je somnolais sur un siècle d'images numérotées en écoutant Tatave triturer la radio. Des classeurs de presque un mètre de haut et presque dix kilos, des albums plus interminables que la tapisserie de Bayeux faisaient un entassement de parpaings à l'endroit d'un monument qu'on ne construirait jamais. Cette confection à la colle et au ciseau cessa le jour que les reporters s'adonnèrent au film couleur.

Tatave baissa le son.

Ainsi décéda la photo d'art appliquée au vélo, dans une généalogie de techniques vantées comme des mieux. Quelques résistants prolongèrent la magie du Rolleiflex, penchés sur des négatifs de six centimètres par six prolongeant eux-mêmes le grandiose des plaques de verre et celui de la France.

Les premières photos couleur d'Anquetil – crinière de Cochran sur le maillot vert Helyett – sont la dernière perfection : la mise au point incise l'œil fiévreux du garçon ; le paysage décolle et sombre dans une flottaison presque de Turner.

Après quoi les courses colorisées glissent dans le jour banal. Kodak sert le dessein de la publicité. La couleur des maillots n'est pas si belle ou l'est trop ; le massif de la Chartreuse s'élève de roches moins denses ; certains jours, le ciel est trop foncé. La sensibilité des pellicules augmente, la granulation de l'image et la profondeur de champ augmentent à proportion. Le monde est partout net. Le monde translucide égale le monde transparent. Les pellicules devenues véloces permettent des saisissements de sprints et de chutes. La fatigue ou le geste rageur se soutenaient d'un flou. La netteté parfaite empêche de rêver.

Les chroniques sont moins longues, les phrases courtes. La rhétorique enroule son drap sur des écritures imitées de la télégraphie ; les papiers replient au format réduit de l'appareil instantané. Du négatif géant à la diapositive miniature, la France perd en surface. L'épique meurt dans le gros plan et la lyrique dans l'obsession du fait.

Les papiers lentement s'obligent de l'objectif froid, obéissant le gris du code civil et le bref de l'agence de presse. Les chroniqueurs accroissent la nudité de l'information. Les photographes équipés de zooms augmentent l'œil sur le détail des peaux. On découvre des rictus et des sueurs à leurs débuts. La page sportive ouvre sur une autopsie. Les badauds disparaissent du bas-côté. Le paysage n'appartient plus au marcheur, mais à l'hélicoptère. Un cameraman depuis les airs évite les banlieues et les zones saccagées. Il focalise le résidu des terroirs et des souvenirs de biotopes intacts. Réglant mieux son optique, il décide une fraude. Le commentateur écoule ses morceaux choisis – cigognes d'Alsace et forts de Briançon. Ils cachent la France semblable à une ZUP géante clôturée de supermarchés. Habillés de minimums et de paroles maigries dans l'exiguïté du panorama, les chroniqueurs et les photographes deviennent les obligés de la télévision.

On ne regarde plus ce que l'on voyait.

L'assomption de la photographie numérique assoit le règne de l'irréel. Sous le tremblement des pixels, l'espace et le temps présentent des spectacles infiniment petits. On voit le millième de la douleur et le premier contact de la mâchoire avec le bitume de l'arrivée. On voit des lunettes noires plus exactes que des microscopes. Une courbe d'oreillette qui suit celle d'une oreille. Les échancrures d'un casque, où passe une mèche.

On voit le rien béatifié des technies enserrant l'humain.

Je ne demande pas le panoptique de l'Oisans, ni les cascades, ni les vallées, ni la marqueterie des champs ; je renonce à l'Éden paysager. J'adviens au règne du périurbain. Je veux une dernière fois seulement un visage complet, comme quand Tatave mettait la paluche au bain.

Je veux revoir les yeux fous de Kübler.

Les larmes du roi René.

Je veux les cheveux de Moser.

La colère noire de Geminiani.

Le Grand Fusil

Coppi avait sur lui des mystères, des perfections sur un souffle liées ; il mit en terre l'époque ancienne par des étrangetés toutes modernes, mais il portait le voile des tragédies.

Qu'a-t-on le plus aimé de ce chevalier : ses courses exemptes de joie, ses voyages augmentant la solitude des monts ? Il aima deux femmes : une paysanne vêtue de noir et une épouse de notable faisant l'héroïne d'une romance adultère sous le nom de Dame blanche.

Ses souffrances survivaient sous le glacis des journaux.

La fibre physique sèche de Coppi était celle de Quichotte ; son ombre nulle descendait sur le corps de Bartali, déçu de faire Sancho. Le chevalier tragique perdit des morceaux d'armure ; Fausto mourut d'un moustique africain passé sous le heaume.

Coppi s'éveillait en sueur sur la page d'un roman de gare. Deux femmes et sa mère pleuraient ses mains. Il partait avant quarante ans.

Coppi arrivait de Ouagadougou ; il avait affronté les sprinters voltaïques aux noms de rois. Fausto avait partagé sa chambre avec Geminiani. Ils voulaient chasser le lion. Sous les oiseaux de Haute-Volta, cette dernière course – une affiche montre les flancs maigres de Fausto aux enfants burkinabés.

Le plus grand cycliste de tous les temps.

Nul n'a dépassé Coppi. Ni Anquetil, ni Merckx, ni Hinault. Ni les suivants dont les œuvres illusoires sont effacées. Geminiani le sait, Geminiani l'a dit : Coppi fut l'unique fois.

Évangéliste de Coppi, sauvé de la malaria à Clermont-Ferrand quand son ami Fausto mourait seul dans le Piémont, comment dire Raphaël Geminiani à qui ne saurait pas ? Gem vit près du plateau de Gergovie. Il observe la décrue de la chevalerie sous un bouclier de bois.

Coppi fut l'épure tragique. Il était impossible à moquer. Geminiani était de même jeunesse maigre, chat noir et cheveux de jais, le nez plus long encore : Gem fut la part dévolue à la tragi-comédie. On pouvait le plaindre et s'esclaffer de lui ; il fut splendide à vélo, d'une splendeur de guerrier passionnel versant du rire aux larmes. Amoureux des spectateurs qu'il changeait en public, Gem avait uniment besoin des sifflets et des acclamations.

Coppi aimait Geminiani, ce théâtre ambulant.

En lui dérivaient les trois unités, qu'il ne respectait pas. Il ajoutait un acte, modifiant la réplique, augmentant la tirade. Raphaël réformait la prose des chroniqueurs. Il modifiait le flux racinien. La langue se mouvant aussi bien que les jambes, ainsi parlant, ainsi roulant, il trouvait des surnoms à la volée qui passaient le soir même au dictionnaire. Il soufflait des mots. Ses phrases étaient plus coupantes que celles des journalistes abrités du soleil dans les voitures aux portes arrière échancrées au chalumeau.

Dessaisi d'épaisseur, agitant des membres plus sommaires que des outils de cantonnier, il jugeait le caricaturiste à son habileté à travailler le nez. Gem transformait ses actions en crayons impressifs pour l'édification des enfants.

Son corps d'échalas était doté d'une résistance supérieure à toutes. Coppi enviait sa mâture de gladiateur rogné aux entournures. Osseux tous deux, Gem et Coppi étaient frères. Coppi était prêt à jeter sa fortune immense pour avoir sa santé.

Geminiani fut l'une des plus terribles complexions. Il roulait à pleine force de la fin février jusqu'au milieu d'octobre; il commençait la saison à Cannes et finissait en Lombardie. Il courut la même année le Tour d'Espagne et ceux de France et d'Italie, finissant troisième au mieux et six au pire. Rien ne le faisait taire ni cesser de rouler. Il manqua de gagner le Tour de France en 1958. C'est lui que Gaul sacrifia. Gem de la *Commedia* sombra ce jour dans les larmes en criant le nom de Judas. Blessé à mort, comme un vaillant de *L'Énéide.*

Clamores simul horrendos ad sidera tollit. « Il pousse jusqu'au ciel des cris affreux. »

Si inlassable pourfendeur, Geminiani fut invité par Coppi à porter la laine céleste de la Bianchi. Ce fut son grand moment. Coppi et Geminiani allaient en bleu pâle dans l'époque riche. Ils bataillaient la concentration d'épées la plus forte de tous les temps. Gino Bartali. Louison Bobet. Jean Robic. René Vietto. Ferdi Kübler. Hugo Koblet. Charly Gaul.

Federico Bahamontes. Rik Van Steenbergen. Rik Van Looy. André Darrigade. Puis Roger Rivière et Jacques Anquetil qui allait devenir le successeur de Fausto. Les meilleurs grimpeurs, les meilleurs sprinters, les meilleurs rouleurs conçus depuis l'invention de la roue.

D'avoir tant vu, Gem devint un matin le meilleur directeur sportif de l'époque gaullienne. Sous le magistère de Geminiani, Anquetil passa de la perfection au sublime, ajoutant le *lamento* à l'*ostinato*. Gem instilla l'émotion dans le cran de l'horloge. Au cœur d'Anquetil parut ce trait de fêlure qu'on aimait chez Callas. Gem l'amena sur la pente d'exploits qui faisaient pleurer.

Geminiani a observé les plus étranges cyclistes qui se puissent concevoir, des exceptions morphologiques concentrées dans un mouchoir d'années. Ses bras de Sganarelle, son museau de Pied Nickelé ont effleuré de près les réalités basses et hautes. Gem peut dire de tout dans la totalité. Il n'a de phrase que définitive, mais il en a plusieurs, toutes différentes et pareillement historiques. Ce qu'il dit un jour dévie le lendemain. Il aime se renouveler. Aussi s'est-il embrouillé et réconcilié une fois avec tout le monde. Gem joue des colères; le cœur est vrai.

Les chroniqueurs en mal de sujet, les gratteurs dans la digestion appelaient Gem en début d'après-midi. Aux jours où il était coursier, aux jours où il faisait le coach, Gem dispensa des pages par milliers : dosages d'inédits, boutades devenues proverbes à travers le combiné, polémique et bluff, mensonges habilement déguisés en fausses vérités.

Au bout de quelques mois passés à *L'Équipe,* j'ai vu Geminiani incarné dans les façons de chacun : provocs au cordeau, surnoms de fantaisie, un certain plaisir à rompre le récit, à jouer du registre grave pour sombrer dans la farce, une habitude de parler avec les doigts, de toiser buste à buste pour forcer l'adhésion. Chany, ses collègues et le pilote de l'auto avaient les tics de l'Actors Studio de Clermont : ils jouaient pour un parterre de malentendants.

Pierre Chany donne la définition de son rival et seul maître en chroniques orales :

« Il tape sur la table *au bon moment.*
Il éclate de rire *au bon moment.*
Il geint *au bon moment.*
Il attaque *au bon moment.*
Il sait se taire *au bon moment.*
Bref, il fait tout *au bon moment.*
C'est un grand comédien et un sacré coureur. »

Gem est la matrice secrète de l'art de cycler et parler du vélo. Il est sur les photos des encyclopédies, de la Libération à maintenant, coureur sur une page, directeur sportif sur l'autre, les cheveux lissés de gras. Il est leur voix, leurs gestes sont les siens : ceux qu'il a côtoyés partent un à un. Gem survit – muré dans la santé de fer que Coppi enviait. Coppi est mort, et Rivière, Bartali, Bobet, Vietto, Kübler et Chany le voisin auvergnat. Gem vit à l'ombre du volcan. Il survit dans les livres, bestiaires et abécédaires. Inspirateur. Intercesseur. Il est dans les livres qu'il a composés, dans ceux, nombreux, qu'il a suscités. On l'a vu au chevet des champions mourants, serviteur toujours des légendes, pas avare d'amour et concurrent du Vermot.

Il est la mémoire vive de ce qu'il y eut de mieux ; il eut sa mèche toujours dans les coups de grisou. C'est le personnage. En lui le cyclisme fait sa somme, finit de naître et d'exister.

Gem est l'héritier italique de Francis Pélissier, géant arverne. Francis Pélissier et Raphaël Geminiani prennent le verbe à son plus haut. Ils font beau récit des bassesses humaines. Ils cherchent l'assentiment, passant de l'obscur au clair avec une magnifique mauvaise foi. Gem n'a pas suivi le laitier de Passy dans la combinaison des chimies, ni le jeu des violences. Gem finit le duel sur un rire, il emporte le bout de viande, toujours aspiquant, sacquant les tièdes à coups de mots. Gem n'a jamais envoyé de coureurs au fossé, juste éperonné trois motards de la *Polizia* et quelques voitures sur un Tour d'Italie qu'on voulait voler à Anquetil son ami.

Francis Pélissier avait vu la grandeur de son frère Henri, celle de Lapize et de Petit-Breton. Il mit la main sur Anquetil, le petit nobliau. C'est sous le règne d'Anquetil que Raphaël de Clermont, reprenant les préambules de son maître Fausto, inventa quelques pages épaisses du vélo. C'est lui le premier qui avança la main vers Merckx et Ocaña, qui posa la feuillure noire de Lucho Herrera dans l'herbier dynastique des escaladeurs.

Les qualités de Geminiani et du grand Francis Pélissier s'assemblent dans un bouquet où composent la science et les usages duplices de la parole relevés par les premiers philosophes. Maîtres de paroles, experts en bécanes fines, aléseurs de métaux, artisans de vannes sans réplique – Francis Pélissier et Raphaël Geminiani furent les plus beaux directeurs sportifs et des sophistes à poigne. Leurs échiquiers passés au suif éloignaient les stratèges d'antan et les jansénistes de l'action graduée. Ils effrayaient les huissiers et les pisse-froid. Ils détestaient les hommes gris.

Anquetil le pâlot refusa la noirceur de Pélissier ; la folie de Geminiani épousa la démesure qui battait sous la plume du petit. Le Grand Francis et le Grand Fusil furent de la semblable espèce des poudriers ; ils mettaient les rieurs et la victoire dans un sac. La ruse du maquignon du Cantal trouva un écho dans les astuces siciliennes du Clermontois. Francis Pélissier fut unanimement détesté. En Gem le verbe aimer palpite à l'indicatif présent. Gem demeure le cycliste vivant le plus aimé.

Patron de la brasserie grandiose où croisaient Brel et les artistes du temps, subtil financier et monstrueux dépenseur, falstafien sur la place de Jaude à Clermont, maître dans l'art de monter les équipes et signer les jeunots, Gem porte un monde. Il voit clair parmi les dates et les soirs innombrables de bonne chère. Son encyclopédie est un jour de foire. Sous le règne du vin reviennent d'entiers paragraphes à peine réinventés. Les époques glissent entre elles. Gem rend beaux les moments de rien. Il chevauche vers où ? Ses souvenirs viennent à Coppi.

Gem décrit la petite chambre et la table de nuit et le vélo à côté d'un jeune champion perdu dans la solitude du port de Gênes. C'est Coppi par la voix de Gem qui s'élève de limbes ou aucun écrivain n'est allé.

Avec sa disparition s'effacera une somme d'histoires et de paroles insoumises au crayon. Comme le ver foreur, il laisse derrière lui un déchet de paroles absolument fabuleux. Que Gem parte, les souvenirs de première main finissent au placard de l'orphelinat. Aucun autre coureur n'aura le génie de Raphaël. Il y faudrait trop de passés.

Comme le Duce avait offert son père au ricin et tous ses biens au feu, les Geminiani enfuis de Romagne échouèrent à Clermont. Leur bourse s'épuisait là. Ils allèrent chez Michelin et embauchèrent aux métiers durs qu'on offre à qui vient. La mère s'éteignit; le père demeura avec les quatre enfants. Il donna foi dans la vie, la science des bêtes et le secret des vignes; il enseigna les ficelles des gens des villes et comment garder vivace le lierre. Ils vivaient dans les cités Michelin de Chanturgue organisées en familistère, avec la coopérative, l'école et le dispensaire. Le père ouvrit dans Clermont le magasin de cycles que les *Chemises noires* avaient fait brûler à Lugo.

Quinze ans à l'armistice – un mètre soixante-dix-huit pour cinquante-huit kilos. Une plante grimpante. Comme Francis Pélissier pédalant cinq ans entre les tranchées, Gem se construit selon les nécessités de l'Occupation. Il suit un plan d'entraînement au calque du marché noir, acheminant fromages et saucisses entre les volcans. Chargé de bleu d'Auvergne, Geminiani se découvre des leviers d'escaladeur. Il remporte le Premier Pas Dunlop. Le meilleur jeune de France est pris dans une rafle. Un mois de prison. Les résistants le délivrent à la Libération.

Geminiani fut d'abord un coureur, un tempérament. Ses saillies tombaient justes cependant que les jambes et les bras allaient droite et gauche. Geminiani contenait la dysharmonie des morceaux dans les limites d'une fresque chrétienne. L'enfant des quartiers Michelin rejouait les profils esquissés aux tympans de l'église. Gem à son paroxysme prenait la noirceur des possédés. Il ne glissait pas sur le monde comme le faisait Coppi. Il suivait le campionissime et parfois le passait, avec les rictus et les sauts de genoux d'un *furioso*. Seul Kübler donna de pareils médaillons, encore que ce fût dans la tonalité dégradante du supplicié.

Gem était au superlatif celui qui ne plie pas. Il allait sous l'emprise d'une exagération. Gem n'attaquait pas, il flinguait. Le Grand Fusil ne se raisonnait pas, n'économisant rien. Dans sa débauche, il emporta presque dix étapes dans le Tour de France, qu'il finit à toutes les plus belles places, sauf à la première – qu'il méritait plus qu'un autre. Il manqua de peu le Tour d'Espagne et le Tour d'Italie où sa manière latine impressionna. Il fut champion de France et l'halluciné de Goya dans nombre de courses où sa générosité le ruina.

Une Légion d'honneur revient au maigrelet des quartiers Michelin. Et son fauteuil à l'Académie, à la place de tant. L'Italien de Clermont restitue l'écorce du génie français.

En Geminiani coagule la matière froide et brûlante du cyclisme à son dernier moment.

Je l'avais croisé, il y a vingt ans ; je traînais mes yeux à *L'Équipe*. J'ai souvenir de soirées avec Gem et Chany. J'observais, muet, les amis de Fausto. J'ai découpé l'image, je n'ai pas dit un mot. Tous les ans, je me dis que je vais appeler. Gem ne se souvient pas de moi. C'est Lucky Blondo, l'ami chanteur du temps de la brasserie, qui m'a donné son numéro.

Lucky s'entraîne à Longchamp comme moi.

Il roule tranquille, en flottaison.

MANGE-MERDE

Le soir, entre les murs cartonnés du Novotel, les coureurs ne parlent ni de philosophie, ni de Montaigne, ni des martyrs du Kurdistan. Comme les militaires et les prisonniers, ils parlent de sexe, ils parlent d'argent, ils parlent des combines et vices divers attachés à leur condition.

Les cyclistes s'entretiennent du dopage en presque continu et de ses relations connexes au pognon et au cul, étant établi que les cachetons coûtent cher, mais permettent de coïter comme des Iroquois.

L'heure tourne, les sujets fondent ; les anciens, comme à la veillée, remettent une bûche pour alimenter la conversation. Sur le parking, le mécano finit de soigner les vélos ; on l'entend graisser une chaîne, il ferme la camionnette dans un fracas. Le masseur a fini sa tournée ; il pousse dans le couloir ses grosses jambes et souhaite la bonne nuit, en belge, à travers les cloisons.

Comme dans un rituel gothique, le glas de minuit sonne, l'heure est venue de parler du monstre des pelotons. D'un homme que son acharnement à mégoter a transformé en presque roi. Les capitaines de route aiment dérouler sa déprave et ses bassesses sans égales. Son vrai nom est tombé dans l'oubli. On ne l'appelle plus que Mange-Merde, comme dans un affreux conte pour enfants.

Ladre et avare jusqu'à la lèpre. Mange-Merde fut assurément le cycliste le plus radin de tous les temps.

Noir de poil, le regard torve, il n'attirait en course aucune sympathie. Mange-Merde était arrivé dans le peloton au moment du premier choc pétrolier. L'œil rivé sur la jauge de fioul, il suçait les roues jusqu'au moyeu et crachait les rayons au fossé. Dans l'exercice d'un sport où l'effort ne se compte pas, il faisait semblant de tirer sur la corde. Il n'offrait jamais le moindre relais; il tournait le museau, négligeant de prêter sa roue à l'équipier dans le fossé.

L'économe avait du muscle; il grimpait. Certain de ne pas avoir à partager la prime en haut des cols avec les marmottes et les éperviers, il payait de sa personne. Sans rien demander, sans rien restituer, Mange-Merde gagna des étapes du Tour de France.

Personne ne le laissait s'enfuir. Il était détesté. Nul n'accordait au rapiat la moindre remise; il dut arracher ses victoires au prix le plus exact. Il n'était pas prodigue, certes, mais c'était un athlète. Vialatte l'avait vu, qui admirait les avares : « Ils vivent d'exploits sportifs. »

On l'apercevait de loin, enfoui au ventre mort du peloton, dans la zone de détaxe, à l'abri des exactions du vent et de la gabelle des échappés à mater. Quand ils se greffent en ténia dans les intérieurs de l'exploit, les tire-au-flanc ne se nomment pas rats, mais *ratagas*. C'est un terme définitif où passe un souffle d'affection.

Mange-Merde était seul exemplaire d'une race de rat honni et plus qu'à mort.

Les radins se font moquer; la radinerie mieux aboutie de Mange-Merde atteignait le sordide. Il ne faisait pas rire. Son obsession faisait peur. Il portait des lunettes épaisses, moulées dans un ersatz de bakélite, où se cachaient des yeux. Il ne détroussait pas les morts. Cette retenue le laisse en dessous du père Thénardier.

Il vivait dans une maison ni trop basse ni trop haute, dans le centre presque exact de la France, dans le presque centre d'une presque ville où il ne faisait ni trop chaud, ni trop froid; où il se pouvait restreindre simultanément en chauffage et en ventilation. Il vivait là, à moitié de tout, rognant les extrémités, à une volée de Nice, à un jet de Paris. Mange-Merde vivait dans l'obsession des carburants. Il n'allait jamais seul dans sa Peugeot diesel. Il invitait à se joindre à lui les jeunes coureurs du pays. Qui n'avaient pas le cœur à dire non. C'est qu'il était difficile de gagner un critérium en se mettant Mange-Merde à dos.

Entassés à cinq, les garçons devaient partager les frais d'essence, ceux d'usure, métaux et pneumatiques, acquitter les péages et divers octrois. Ils devaient subir la peur dans les descentes. Là, l'œil mi-clos sur le manomètre, Mange-Merde coupait le contact: il filait en roue libre. On entendait le vent siffler sur le rétroviseur; un coureur hurlait: la direction était bloquée. Mange-Merde, souverain, remettait les gaz et le volant remuait à nouveau. Affamés par l'angoisse, les coursiers s'engouffraient dans un « routier ». Chemise collée au siège, Mange-Merde déjeunait dans l'auto. Trois bananes, une grande bouteille carrée de Banga, ou de « Fruité, c'est plus musclé », lui suffisait pour la journée. Au matin des courses exigeantes, Mange-Merde ouvrait une barquette de pâtée pour chat.

Ces pauvres denrées justifiaient son surnom.

Mange-Merde jouissait d'un estomac conçu pour supporter les avanies. Il se levait tard, vers 11 heures, laissant sa femme amener les enfants. Cette paresse était née d'un calcul ; elle permettait d'esquiver le petit déjeuner, coûteux en beurre et en confiture. Il cuisinait lui-même sa gamelle – un mariage de brisures de riz et de haricots en boîte, touillés à la sauvage, qui faisait jusqu'au soir. Il partait s'entraîner en chaussures de tennis pour éviter d'user ses souliers de vélo. C'était à sa façon un rocher, une complexion minérale. Il fit durer longtemps sa carrière, alors que les protéines manquaient. Il parvint même à gagner après une nuit passée sur la banquette de l'auto.

Lors des courses à étapes, comme il fallait montrer un semblant de société, Mange-Merde demeurait à l'hôtel. Il arrivait le dernier au petit déjeuner, s'empiffrant de bacon pour plusieurs mois. Le serveur observait cet homme en survêtement qui remplissait un sac plastique de barquettes de beurre et de confitures non entamées. C'était une sorte de moderne glandée pour assurer l'hiver.

Mais cela est peu. C'est le moment que le conteur, au milieu de la chambrée, dans une anarchie de valises ouvertes et de cuissards séchant aux fenêtres, arrive à l'épisode palpitant. Il y a toujours un coureur affranchi qui sait l'histoire et veut aller au fait.

Sans être une beauté, sa femme avait fait Mange-Merde cocu. Longtemps absent, il mit longtemps à flairer la trahison. Un soir, comme l'épouse dormait, il se glissa hors des draps. Il coucha le flingue dans le coffre de la Peugeot et partit visiter le rival qu'avaient trahi d'autres sournois. Quand ce dernier s'éveilla, d'un coup de crosse au mollet, il vit Mange-Merde devant le lit. Harpagon fit mieux que se venger. «Je sais que tu la vois tous les mardis; deux ans que ça dure. À vingt sacs la passe, tu calcules. Ça te fait deux plaques net, et j'arrondis. C'est en cash, maintenant, ou je te plombe la jambe. C'est toi qui vois, tu réfléchis...»

Ayant vendu sa renarde, qui ne valait pas tant, Mange-Merde revint chez lui, on ne peut que l'imaginer, planqua l'argent dans un pot et remisa le fusil dans son fourreau. Il monta dans la chambre et tira le drap sans un bruit.

Mange-Merde n'alla guère plus loin à creuser son vice. Il arrêtait sur un chef-d'œuvre. Sa résistible ascension prenait fin. Quand sa carrière s'acheva, il reprit une licence dans les rangs amateurs où il géra habilement toutes sortes de maffias. Mange-Merde sévissait parmi des enfants : il persévérait, le cœur gâté, la bouche emplie de dents dupliquées dans des métaux peu précieux. De jeunes enfarinés se firent plumer par ce goupil de fabliau.

Quand il approcha des cinquante ans, il ne parvint plus à lever la moindre prime. À devoir courir gratuitement, il devint presque fou. Il perdit la dernière dignité. Il s'en allait pleurer sur la ligne d'arrivée, mendiant un quart de prime, un restant de trophée aux sprinters de vingt ans.

Comme il n'avait jamais fait le bien, on ne lui fit pas de cadeau.

L'HUISSIER GRIS

Je dois faire le portrait d'un prétentieux, détesté de tous, qui se déclare historien et s'accroche au cyclisme dans l'espoir d'une régence. J'en parle à voix basse, dans la crainte d'être entendu, ou d'être censuré, avant d'être puni. C'est une façon de pédant vaniteux, proche des gouvernements, l'ami des puissances intermédiaires et supérieures.

Les journalistes et les coureurs savent de qui je parle. Ils comprennent mes précautions. Comme beaucoup sont encore en activité, que je ne suis rien dans le milieu, ils attendent de moi que je les venge, les fasse rire en secret.

Tous craignent ce gros bourgeois habillé en faux historien. Ils le fuient. C'est qu'il propage une sorte de maladie. Du cyclisme, de ses étranges représentants, il veut résorber toutes les aberrations. Les irréguliers le tourmentent plus que les vagabonds qui survivent sans pièce d'identité. C'est un normalisateur. Il veut ramener l'art sauvage dans le giron de la culture. Il est l'avatar d'un Jaruzelski face aux gros bras de Walesa.

C'est le portefaix de l'histoire officielle. Il s'abat sur le peloton comme une peste, avec ses ors et ses cordons de chambellan. Il glisse sur les parquets et vient redresser l'histoire braque du vélo. Il étouffe la passion sous la farine des dates. Il enfouit l'inchiffrable sous la bourre des palmarès.

Qui goûte la lueur émise par les coureurs doit se défier de ce poudré. Cet huissier gris est le sans-nom, le fantôme d'une histoire qui met toute forme vivante sous le joug, et pétrifie. Il est la main de l'État, le gant de fer des lois ; sur l'exploit cycliste il prélève une dîme. Il attire les champions au gouffre de ses compilations.

J'ai donné un portrait de Chany, le Joinville de Coppi ; cet autre de Geminiani, le meilleur conteur. Il faut maintenant hasarder un crayon de l'huissier gris, ce mange-dates sans blason. N'ayant su œuvrer pour asseoir son nom, ce compilateur survit entre lumière et ombre, au purgatoire, gelé. Il fait exemple d'œuvre vaine. Il est l'acide qui creuse et donne relief aux chroniqueurs de rang. Sa qualité dit ce que le cyclisme n'est pas.

Pour ne pas risquer un contrôle fiscal, j'ai habillé sa vie sous le tissu de Saint-Simon. C'est un fait que, dans les *Mémoires*, j'ai plusieurs fois noté son trait. Je mets des guillemets sur ce pastiche mal à propos, il fait grumeau dans le livre. C'est une parodie d'un autre temps, certes ; mais ce verbeux met une emphase sur son notariat : il s'abrite dans la langue des contournés. C'est dans la langue ancienne qu'il faut moquer ses usurpations.

*

«C'était une haute carcasse de Parisien nanti, héritier sans talent, qui voulut par le cyclisme s'accroître dans les lettres, où il demeura en dessous de peu. N'étant d'aucune peine et de tous les festins, cet encoffreur fut habile à s'élever en compilant les gestes des humbles, imposant comme à la dérobée l'exploit des hommes de petite extrace. D'une jalousie générale, particulière et s'étendant à tout, ce bourgeois enviait secrètement la robe des champions. Sur la moindre gloire de province, le plus maigre classement, sur la plus exsangue biographie, il avait droit d'épave. Ainsi que le rapporte Suétone au sujet de Caligula : "Il n'y eut personne de si humble condition, d'un rang si infime dont il n'enviât ce qu'il pouvait avoir d'avantage."

«C'était un fils de lettré, qui se croyait des dus, mais une nature mauvaise, le corps et l'esprit dépourvus de nerfs et décolorés. Lippu, et de gros flair, les poils passant le nez comme les barbillons du brochet, l'œil petit, balayant tout mais ne regardant pas, il remuait une vase de sous-entendus. Il parlait de biais, d'une voix aigre et montante où coulait de la fausseté. Pour mieux faire le précieux, et donner sa musique de caste, il prolongeait les finales d'une mouillure sans agrément. Il se donnait licence de deviser et doctriner les niais sur ce que l'histoire du cycle pouvait celer de détails les plus secs, poussant la cuistrerie partout, qu'il avait en quantité et tout admirable. Si effronté à peser du regard, insinuant, doucereux, il étouffait la répartie, convoyant des syllabes humides qu'il mâchouillait affreusement. Fort l'air et les façons du grand monde, il montrait l'écorce de hauteur qu'il croyait être de son rang, méprisant le fruste des coursiers ; puis il tournait le dos à la réplique dès que perçait la pauvreté de sa dissertation.

« Moins qu'une intelligence, c'était une sorte de génie dans l'avidité. Pédant, et d'une pédanterie formée de lacets et de pièges où précipiter ses victimes, il était ingambe en philosophie et se piquait de latin. Malin et bon ami quand il le fallait, habile en courbettes factices, il cherchait des lettres patentes pour s'agrandir, et cela seul montrait la corde. Il présentait aux directeurs de courses et de gazettes des flatteries passées de miel. Il suppliait une charge.

« Ce que j'ai ouï dire aux gens de son temps, c'est qu'il fut le plus cruel avec ses collaborateurs. Il accablait de pouilles ses scribes, ses transporteurs d'archives. Il chicanait pour rien. Il foudroyait pour peu. Il les menait en province, ne les nourrissant pas, les laissant complices d'intrigues assez basses. C'est qu'il se faisait donner en usufruit maints papiers des gloires cyclistes et force choses très injustement. Les documents amassés sur des ans faisaient un semblant d'œuvre, impressionnant les familles des coureurs décédés ; il les accablait de candeur contrefaite et de sourires forcés à toutes saisons, mettant sous la manche les maillots et les manuscrits du défunt, diminuant la valeur de topettes gravées et vite enfournant, sous prétexte d'examen. Toujours passant le but dans la flatterie, il transformait les saisies en donations. Ce fut son grand talent.

« Cet homme gris allait dans l'hiver et l'été couvert du même habit gris, vantant sans qu'on le lui demandât ses écritures grises tout autant. Insinuant et quelconque, il se glissait dans les maisons, il s'exhalait. Voulant tout en tout genre, il briguait tous les titres, toutes les présidences, qu'elles fussent de banquet. Il infiltrait les jurys. Il n'y eut pas un collège, pas un directoire, pas la moindre académie cyclographe où il ne passât la main.

« À entendre citer son nom, à déclamer soi-même ses faibles récitations, il défaillait quasiment. Le monde restait muet, saisi devant l'audace. Ce greffe infatué s'adressait de longs panégyriques ou manigançait à les faire dire par d'autres, se laissant craindre par des approches de serpent. C'est qu'il pesait son poids de fiel et excellait dans les autres venins. La vanité au comble, cueillant les félicitations des vieux champions dont la bravoure ne lui importait pas, il faisait la roue.

« Il se dilatait.

« Enflé de fatuités, gorgé de vanteries diverses et nombreuses, il ne vit plus les moqueries. On imitait dans les pelotons sa rhétorique de notaire, sa pédantesque de Sorbon en papier mâché.

« Nous fûmes d'une course vers les Andelys où il arriva une scène. Un jeune coureur ne comprit pas sa prose contrefaite, ou fit semblant, se courbant sur le guidon pour rire ; il lui demanda de reprendre au début et fit le faraud. Une année s'écoula. Le sprinter normand vit son palmarès divisé de moitié dans l'encyclopédie.

« Infirme à dire le grand, mais ardent à terroriser, persécuteur jusqu'aux enfers, cet éteigneur du temps s'inventa une primature dans le minuscule et l'articulet. Des plus arides rebuts il se fit le comptable, s'engraissant aux dépens, poussant d'épaisses reliures, des herbiers à sprinters et des codex ornés de vignettes aux couleurs des fabriques de cycles, qu'il nommait encyclopédies, comme on l'a dit, pour s'y accroître mieux. Il entassa dans ses caves toutes variétés de magazines de bicycles et de tricycles, de calendaires et d'agendas, les catalogues de France et des nations amies ; il y faisait son foin, remuant force annuaires de critériums départementaux, ainsi que tablatures de braquets, manuels de montage, taxinomies de pédales en trois langues. De faibles proses en fatras.

« Les exploits du cycle l'attiraient moins que la liste des engagés. Un règlement de course égayait son cœur sec. Il pinçait la lyre sur des alinéas. La lecture d'un palmarès le grisait. Il a laissé un historial du porte-bidon, fautif par endroits, qu'il disait excellent. Sa restitution assez fleurie de courses anciennes disparues, comme Capbreton-Hossegor, où filtre l'odeur des pins, demeure une référence. Il excellait dans les œuvres moindres, l'esthétique des fichiers. Quelque néant qu'il fût, il voulut exister la plume à la main et jugea licite de signer ce travail de copiste véritablement. Tout cela était peu. Une somme de riens, mais des riens oratoires, petits, des périodes fanées. Son œuvre innombrable forma une friche morte où pâturaient des dates.

« Atteint du désir de chaire, c'est un fait, il visait la pourpre, les velours : il se voulait du cycle l'unique cathédrant. Sans l'écaille d'un diplôme, il faisait le capable et côtoyait de plus savants pour s'en préconiser. Il n'était pas même bibliophile, plutôt bibliomane, le vice passant son voile. De sorte qu'il n'écrivit jamais en premier lit que des préfaces sans vertèbres, voûtées sous des tours pénibles et anciens. Il n'apporta d'inédit jamais, usant du bâton comme un compte-fautes, et des précautions de caste, pour bémoliser. Détesté des coureurs, qui s'en gardaient, d'une lenteur et d'une cautèle très grandes sous le feu, le peu et le rien qu'il valait firent qu'il vaguait sans vertus.

« Ses relations de course tournaient en oraisons. Qu'il racontât un exploit, il le tuait à la source. Il excellait à la marqueterie de savoirs défunts. Incapable d'admiration, ne prenant jour sur rien, confit dans les minuties de l'étiquette, il ne fut d'aucune société avec les cyclistes. Il rôdait sur les lignes d'arrivée ; à sa vue, les coureurs parmi la foule disparaissaient. C'est qu'il gelait les paroles à la bouche, épandu en verbiages, minorant l'action au premier mot, engluant le vif sous une mélasse, lui-même s'y prenant. On connaît un grimpeur niçois dont l'épopée mal dite l'amena sur le flanc et pour plusieurs mois.

« Fort de rentes pour se bien conserver, ce velou-teur de louanges finit ses jours dans sa demeure des riches quartiers, les lambris dévorés d'archives, la chapelle emplie de fascicules. À bout d'espérance sur ses manèges, son épouse docilement l'écoutait se relire, toujours plus faible à se pâmer. Il usa ses vieux soirs à râper le tapis, infus dans des colères. Passé soixante-dix ans, point sorti de furie, insatiable jusqu'à la fin, il cherchait un strapontin dans un ministère, une nonciature quelconque où cueillir la gloire due et les indemnités. Il voulait la Légion d'honneur. Il prétendait sa bibliothèque plus belle que celle de Callimaque. Il rêvait que le roi registre une édition princeps de ses cyclopédies. Personne ne voulut de cet amas de papier. Il avait de l'intrigue, certes, mais peu d'amis. Son attirance jusqu'à l'indignité pour les honneurs offusquait.

« La raillerie atteignit son comble quand ses victimes agrégées, chroniqueurs du cyclisme et poètes du pédalier, osèrent la farce d'une académie. Il vit un gros de monde sur son passage qui se fendait. On lui remit une fausse Légion. Il ne vit rien. Le rare est qu'il en fut bien aise. Il reçut une fausse monnaie ornée de guidons recroisés. Le matin suivant, le sculpteur affranchi vint travailler son buste. Le pseudo-Tacite posait béat, rayonnant, dilaté, quand il resta figé contre son siège, dos à la cheminée, vaincu par une extase trop forte. Le sculpteur ne s'en aperçut pas d'abord et poursuivit, œuvrant l'extérieur d'un furet, de sorte que ce buste d'ironie, commandité par ses victimes liguées, est le buste d'un homme déjà mort de son vivant, à l'image de ses compilations promises au vent dès que publiées. »

Le Fénéon de la météo

Il y avait à *L'Équipe* un chroniqueur oublié, le doublon de Tatave, le crado du labo photo, jamais mieux vêtu que d'immuables polos de traîne-vie. Il rédigeait chaque soir les trois lignes de la météo, justifiant son salariat considérable d'un entrefilet hebdomadaire sur les courses d'aviron en grand et petit bassin.

Avant les classiques, nous allions le consulter pour savoir si le pavé serait gras et mouillé.

La cocasserie masquant la veulerie, il promenait sa nullité joyeusement, sans offusquer les travailleurs ni sermonner les plus feignants que lui. Sa seule occupation était l'interminable fiction de sa retraite prochaine à Oléron. Je n'ai jamais lu de lui un papier complet. Il excellait au succinct. Ses débuts coïncidaient la chute. Il expédiait des papiers sans ventre qui n'avaient que la tête et les pieds. Ses brèves étaient des titres.

Le soir de son pot d'adieu, levant le verre en son honneur, j'ai donné la définition de qui ne servait qu'une fois l'an, la veille de Paris-Roubaix : Guy Gaubert, l'homme arrivé au plafond sans jamais avoir été au plancher.

À peine installé à Oléron, le Fénéon de la météo est mort foudroyé.

FREDDY MAERTENS

Ils vont par milliers, de la côte vers Liège, d'Anvers vers Charleroi – une troupe errante, corps noirs, mandibules, la limaille des sous-métiers. Ce sont des désœuvrés marchant d'ouest en est, de l'Occident flandrien déchiré de vent vers l'Orient froid du pays wallon, cent lieues plus loin. Une meute de manouvriers poussant le sac de misère vers le Limbourg et le Hainaut, d'où montent les sirènes.

De bourg en bourg, n'espérant pas viande mais soupe et la forte brassée de l'estaminet. Une maigre horde croyante se faisant refuge d'un clocher ; louant appentis, s'y faisant chaumière ; louant lopin, y grattant festin. Une dispersion de chômeurs basculés journaliers et pousse-wagons, entre des épluchures de vie. Ils couvrent la Belgique de leurs patois désajustés, chacun sa chance, nourris de viscères de poissons, se croisent six mois plus loin, un doigt sur la casquette, chacun sa route ; échouent où c'est plus chaud, s'endorment où c'est moins froid.

Sur un monde de taupinières claquent les linges blancs.

Cette Belgique aimante des choses du tréfonds, sous l'enveloppe de soufre et de suie laisse ses enfants.

Les barons s'exercent en diableries de haute industrie, fontes, fers, aciers – la ferraille des consortiums. Derrière l'huisserie double, les hommes lucanes aux noirs vernis : hauts bourgeois, hauts chapeaux, maîtres des forges obsédés de la langue française et du salaire bas, grandis de la même indigne matière, immuables dans d'affreux châteaux en brique rouge comme les corons.

Sur l'estacade d'Ostende, le roi Léopold fait du tricycle.

Que la houille disparaisse, le monde se consume et le monde est chômé. On ferme et retour aux chemins. On dégage du Hainaut et de Charleroi où Rimbaud a fugué, où les pères ont migré, une vie plus tôt. «Aux pays poivrés et détrempés ! – au service des plus monstrueuses exploitations industrielles ou militaires.» Ils reviennent en Flandre vers les fermages et le métier à tisser. À courir le pain, hagards dans le soir court, ils piétinent la fumée des huileries. Au fond de la vallée de la Lys, loin des terrils, ils réclament une paillasse. Mendier aux fabriques, nuques sur les cotonnades, sous l'aigu des machines, rompus. Frapper à la porte du mangeur de pommes de terre de Van Gogh. Mendier le mendiant.

Sur la jetée d'Ostende, le roi Léopold caresse sa barbe.

Cette sorte de *lumpen* en Angleterre si flagrant survit en Belgique, «paradis du capitalisme» selon Marx, un siècle après. Ce sont les gueux modernisés. Ils font peur aux traditionnaires et même aux socialistes. Les catholiques et les associations paysannes les piègent comme les étourneaux dans un maillage de fêtes villageoises, de kermesses, de pèlerinages conduits par des saints et de ducasses patronnées par les anges obèses conservés de Brueghel. Ce sont des tristes qu'un fumet arrête, volatille à travers la campagne, plus miséreux et fléchis qu'à Londres et Paris. Ils prennent ce qu'on donne, épargne et secours mutuel, contents d'un rien, se révoltent peu. Dépecés dès la sortie d'école, naïfs qu'on éloigne des partageux et des saint-simoniens. Miséricorde est offerte du syndicat chrétien qui crucifie en lenteur, étalant la douleur du Christ ouvrier en cinquante annuités, durée d'une vie. Croyance telle que chanter nourrit. Chômage tel que l'usine est un bienfait.

En France, Blanqui secoue, Jaurès secoue, et les anars, voyous et pire. Ici, outre-Meuse, tout va coulant épais – on s'éveille d'un rot, c'est kermesse. On insulte le propriétaire entre les murs de la courée et c'est le joug lundi, avant la première lueur.

Les patrons n'ont pas voulu agréger ces assombris dans les grandes villes où ils peuvent fomenter. Les maîtres beaux langagiers depuis les fumoirs tapissés décident le prix des trains. L'ouvrier selon leur faveur pointe en ville à pas cher et se rendort au pré. Une armée de réserve : métayers et lève-marteaux, les *lumpen* flamands glissent entre canaux et saules, en campagne, loin des cœurs urbains. Les pelotons de navetteurs traversent au matin le grand nocturne des labourés. Ils ne pensent plus à Proudhon. Ils pointent avec deux heures de route dans les sabots. Autant aller à l'usine à vélo, rouler grand air, peinards au moins, se faire au froid.

Ainsi naissent au cyclisme les sacrifiés du progrès, ils convertissent le servage des fabriques en peine de mollet.

Après le ravage de la Grande Guerre, le cyclisme conçu en France attire les Belges les plus robustes et désespérants. S'ébauche la race indestructible du coursier flandrien, bête noire du coursier français : un être sur deux roues, réduit au nom de flahute – «jambe» en flamand. C'est un être asséché par l'âge d'or et l'âge critique du capital, un cœur stérile sur le mode mystérieux des machines, épris du choc des fonderies. De sa membrane émane la froideur des composés ferreux. Ses poumons accueillent l'air mort des bassins houillers.

C'est un surhomme sorti de sous-humanité.

Cycler sous le vent glacé attire une prime plus belle qu'un mois de paye. Les parents mettent les fils sur le vélo. Ils réservent le pain au petit pour qu'il sprinte en premier. La première course de la saison se court sous neige et bourrasque. Le Het Volk est organisé par un journal populaire qui s'est choisi le sous-titre de «journal antisocialiste».

Au milieu du siècle, l'Europe s'embourgeoise et chauffe à l'atome. Survit sur le sol belge l'éternel *lumpen* déguisé en cycliste. Il marche au large de la *middle class* que les ouvriers français et allemands ont forcé à la molette chromée. Mai 68 passe. Le *lumpen* flamand n'entend rien. Ce vacarme à six kermesses d'affilée : personne n'a débourré ni allumé le Radiola. Une génération ravage le cyclisme des Trente Glorieuses, tous flamands du *lumpen,* des inassimilés. Les champions flandriens sont la presque survivance des journaliers en haillons. Quelque nouveau foulard qu'on leur passe au collet, ce sont comme leurs ancêtres atmosphérés des corvéables, des pognes larges dans l'itinérance. Comme les saisonniers observés par Marx avant qu'il ne soit expulsé de Bruxelles, ce sont des vagabonds qu'on épie derrière le volet. Ils cherchent des recoins, cafardent sur les territoires minimaux, réduits, garnis, meublés, somnolant dans un couloir-chambre, suffocant sous le patchwork des petits boulots.

Je vais dire l'histoire dans l'histoire de trois ébouriffés, Michel, Marc et le gros Freddy, rescapés d'un siècle et demi de chierie.

Ce sont trois côtiers avides de vent sec, rapides dans le froid. Ils se lèvent à quatre heures du matin et prolotent avant l'école dans une nuit glaciale six mois l'an.

Michel déménage des pneus de voitures et de camions.

Freddy à bécane livre les journaux.

Marc soulève des sacs de charbon.

Ce sont trois joviaux forçats adolescents, faibles à l'école où ils embauchent au second matin. Michel le freluquet est de Dixmude, Freddy le gaillard de Nieuwpoort. Ils avancent sur le beau rivage d'Ostende créé par Léopold pour les bourgeois. Ils sont pleins d'allégresse dans le tourment. Ils aiment l'air frais des dunes et courent entre les bunkers. Les dunes gelées font un sol dur, sous la semelle craquent de petites végétations leurs pareilles, des espèces ligneuses résistant à tout.

Marc le colosse est un enfant des plaines mortes. Il rejoindra les deux côtiers. Michel le freluquet suit derrière Freddy. Freddy est l'élément irradiant. On admire sa force étrange. Ses yeux absorbent un infini d'eaux patientes et d'herbes mouillées. Lombardsijde, Nieuwpoort. Sur la plage avancent des silhouettes sèches, noces d'argent, les vieux paumés. Pensions aux parquets cirés, horloges, sous-bocks, les vitrages petits que le sel rend flous. Le vent bat sur Ostende. Freddy est une beauté enfantine avec des yeux bleus, un angelot de plâtre, une sensualité grossière à la Beuys. Une clarté primitive arrive sur ses yeux. C'est un sentimental accordé au lyrisme de l'eau.

Le tramway du bord de mer divise le monde en deux.

Ceux de Bruxelles méprisent ceux de la côte pour qui le cyclisme est une religion – des enfouis, moitié pêcheurs et paysans. Le père de Freddy est un enfoui aux épaules dedans, un courageux. Il se propage en quatre garçons. Il fait les trois métiers dans un même jour, épicier, blanchisseur et livreur de journaux. Devant la maison-boutique minuscule, le front de mer, les cerfs-volants et l'énorme vélo, pour les livraisons.

Le père est vieux quand Freddy naît. Freddy vient dans une fièvre. Une fièvre qui ne part pas. Les parents font des piqûres quatre fois par nuit pour regonfler ses bronches faibles. Près de la frontière française, vers Furnes, il y a un puits, l'eau miraculeuse, dit-on. Le père et la mère portent Freddy dans un linge ; ils cherchent et ne voient rien ; ils écartent les branches, les mauvaises herbes : un plat d'eau pure apparaît. Ils trempent la tête du petit et la chaîne à son cou.

Freddy prend racine, c'est un miracle. Chaque hiver le cou grossit. S'efface le maléfice ancien. Freddy est un costaud à l'abatis pesant. Son corps cache une vigueur. Freddy fait le second du père, sur le gros vélo file jusqu'au dépôt d'Ostende prendre les journaux. Freddy livre sous bourrasque et pluie dans les maisons, sous neige et glace dans les pensions. Il n'est pas un enfoui et le père sait. Rebaptisé à la mare, Freddy pousse le quintal quotidien entre les maisons liées de frimas. Pendant cinq ans, sur le porte-bagages avant, le visage et le nom de Merckx paraissent sous ses yeux et font lumière à la une des gazettes qu'une cordelette enserre.

Freddy déboule en classe avec deux heures de tempérament, à l'heure où les casiers à bière raclent le goudron. Il fait ses «humanités basses» aux critères de l'école flamande, s'échappe avant les «hautes». Les pêcheurs de crevettes vont à cheval, Freddy à vélo – collés sur le paysage : inusables vivants, jouisseurs simples, vigoureux dans l'humide.

Il y a le cousin René, celui qui a fait coureur, celui qui a essayé, celui qui n'a pas pu. Il offre un vélo à Freddy qui rejoue la partie et gagne des sprints devant l'école, un vieux vélo épais. Freddy a neuf ans. À quatorze il dispute une première course, entre gosses, puis il passe aux courses vraies, avec un numéro. Le père sait et commence de tout noter, en plus de la triple comptabilité et des mille labeurs, sur un cahier cartonné. Ça part mal : *abandon au huitième tour*. Et *abandon au dixième tour*, la semaine d'après.

Puis Freddy gagne tout.

Près de l'adolescent surdoué est un affreux crapaud. Michel de Dixmude pédale moins fort. Il pédale de biais. Toujours Freddy gagne et Michel toujours bâtonne les fuyards. Ils arrivent en premier. Ils sont nés le même jour, à un an près. Ils s'entraînent sur leurs dunes, ivres sous les oiseaux. Ils roulent dans la neige avec des bonnets rouges. Freddy est l'homme de chair, le «Rubens en suif» de Baudelaire. Michel est l'acharné. Il s'entraîne deux fois plus. On le voit l'hiver faire et refaire des longitudes, le museau de côté.

Que Freddy traîne au camping avec une fille, le père marteau en main écrase son vélo. Freddy fait le moine ; avec Michel partage la cellule de grand air, de lieues en lieues d'entraînement comme les plus tenaces flandriens, levés quatre, couchés vingt et une. La mère prépare des menus spéciaux. Le père achète une nouvelle machine ; le frère nettoie. Freddy se laisse couver. C'est une vedette locale à lippe lourde, un titan rural au menton épais. Michel l'aigrelet perd des touffes, comme un vieux grimace de la gueule et du genou. Il sait que Freddy est le destiné. De mémoire de flandriens, depuis De Vlaeminck et Merckx, une pousse pareille, on n'en avait pas vu. Michel se tait. Il suit l'ombre de Freddy, sans l'espoir d'une suppléance. Il fera le tâcheron, au diapason ancestral, secoué des rafales, ne sera jamais beau.

Freddy gagne le Het Volk des amateurs, la course au froid du journal « antisocialiste ». Bientôt vont finir navettes et serves peines. Freddy et Michel passent ensemble chez les professionnels. L'équipe mythique des Flandria fait un toit. Elle armorie Michel Pollentier et Freddy Maertens sur les vélos dont les noms sont en blanc sur un émail de sang. Petits Flamands de la Flandria. Tout chante la Flandre en eux. Brick Schotte les accueille. Infracassable de sa race et le dernier des Flandriens.

Brick Schotte.

Son nom sonne sec comme un schiste.

Bras osseux, joues de pierre ponce comme les mains, Brick s'enfonce sous un blouson de retraité. C'est un crâne long bouffé par une casquette de turfiste. Brick en a vu, il regarde bas. Cette sève des jeunots, pour vrai ne l'a jamais eue. Il est vieux. Il tient un café sur la Grand-Place de Courtrai, tantôt essuyant les verres, tantôt conduisant l'auto de la Flandria. Sa femme vend des assurances-vie aux coureurs. Brick ne craignait rien à vélo ; maintenant vit dans la peur du tout et du n'importe quoi. Les deux côtiers piaffent sous sa gouverne lente. Aux premiers frimas, Merckx et De Vlaeminck les assomment. Ils interdisent à Freddy l'accès des classiques majeures que Brick a toutes gagnées, il y a loin, dans un jeu de patience où rôde la calvitie. Freddy en veut à Brick : il fait rentrer la joie. Brick ne piaffe pas, il demeure sur la longueur d'ondes du peuple en peine, fatalement regarde les pavés et ne voit pas d'issue, sauf rouler un petit pécule, calfeutrer un condé. Brick ne voit pas la lumière. Il garde ce teint lilas, trop de paroles – le soleil à quoi bon.

Survient Marc. L'adjuvant gigantal. Si fabuleux pilier. Si colossal enfant de chœur qu'on bascule de l'église aux travaux lourds. C'est un visage splendide que la force bafoue : il rend l'habit mauve au curé et livre les génériques – charbon en sac et la bière en tonneaux. À quinze ans, Marc fait l'apprenti forgeron. Si fort qu'on l'oriente vers les compétitions de forgerons. Si fort dans sa nation qu'on l'envoie frapper l'enclume contre d'autres pays. Rien ne l'apaise. Le vent de mer ne calme pas son sang. Il se démène en forceries tant et plus que le père marchand de charbon met sa carcasse sur des roues. Marc possède le mollet le plus large du septentrion. Il est d'Outryves, fief des

Flamands de l'intérieur – sans coup férir le meilleur cycliste de la contrée.

Quand Brick Schotte l'embauche pour Flandria, Marc n'est qu'un Goliath blagueur qui néglige l'entraînement. Une épaisse chevelure le protège du froid. Il baisse les yeux sur Freddy et Michel le dégarni, ces exaltés qui s'entraînent dix fois plus. Freddy sprinte comme un bison, Michel faufile partout en grimaçant.

Marc rejoint les côtiers sur le calvaire des dunes. Un trio se fonde sous la juridiction des mouettes. Ils sont habités d'un dessein supérieur qui ne s'exprime pas. Ils seront équipiers de cœur, au dessin de Byron, cherchant pour qui mourir. Freddy est l'élu. Marc le Géant et Michel le Poucet savent cela d'instinct : il a des yeux énormes jamais fermés qui ne mentent pas. Lui seul peut prétendre aux classiques supérieures ; il en est habité : Tour des Flandres et Paris-Roubaix, au sommet du sommet. Marc, Michel et le gaillard Freddy essaient une triade d'utopie. Michel en pantin désaccordé gendarme les ambitieux. Marc forme une halle où Freddy s'installe à l'abri du vent. Toute rambarde humaine s'effondre devant eux. Michel et Marc se sacrifient pour Freddy ; ses sprints sont l'achèvement. Ils ont l'idée d'un partage supérieur où s'effacent les vanités.

Freddy et Marc n'accrochent de classiques que mineures : ils prennent la décision de courses à mener plus sec, alternativement. Soutenu d'un colosse et d'un nain, Freddy s'exagère sur le sol français. Il gagne sept étapes du Dauphiné, qui n'en compte que dix. Il invente sa manière ogresse. Brick Schotte relève la casquette, hagard sous les banderoles de l'arrivée.

Brick Shotte dans l'été naissant va répétant demi-fou *eindelijk*, enfin, enfin, enfin.

Il y a un gars de loin plus vieux qu'eux trois, et plus fourbe que Schotte, qui flaire les gamins. Driessens Guillaume, dit Lomme.

Lomme-le-Menteur.

Lomme-l'Exagérateur.

Il a flairé Coppi, cornaqué Van Looy et Merckx à ses débuts. Coureur médiocre, il aime la splendeur. Les champions se séparent vite de ce débraillé gueulard tout en fanfare, mais il est maître de son sujet. Il sait faire grands les coureurs, et les diriger, avant de les faire cocus. Il brise qui le divorce, s'en fait réputation. Il louvoie l'hiver derrière le blouson de Brick, intrigue et manœuvre les trois naïfs de l'Ouest-Flandre. C'est lui qui prend le volant de la Flandria. Lomme promet richesse, large demeure, et le champagne au froid. Son ventre énorme cache son ceinturon.

Les trois suivent Lomme parmi les étangs et les bois, jusqu'à une taverne aux boiseries noires, aux fenêtres opacifiées de vitraux, le chalet Lillebroeck. Devant la cheminée, des jeux de cartes et les dés. Guillaume Driessens fait une clairière parmi les pintes abandonnées. Ils seront riches s'ils abattent Merckx, qui l'a trahi. Dans son quartier général, Lomme enflamme les trois gamins. Dix ans plus tôt, Lomme enflammait Merckx pour qu'il abatte Van Looy qui l'avait quitté. Marc, Michel et le gaillard Freddy disent oui, trois pâtes en une. Lomme frappe du poing entre les mégots.

Enfin se voient sortis du cercle des misères. Marc, Michel et Freddy veulent entrer dans l'histoire, qui n'est que celle du vélo, mais qui pour eux est tout puisque Merckx est le dieu. Freddy n'aime rien tant que son visage comme celui de Merckx à la une des journaux.

Ce qui se passe dès lors, pour un temps très court, ressort de l'inouï. Les trois s'exhaussent, deux dans l'ombre et Freddy dans la pleine lumière, à cinquante bouquets l'an. Freddy gagne une course sur trois. Ses mainmises sont effrayantes.

Les photographies de ce temps montrent un Freddy vainqueur à pleines longueurs. Freddy ne s'impose jamais d'un souffle ni d'un boyau. Il gagne par un et deux vélos de mieux. Il se retourne avant de lever les bras : il se demande qui a fait deux. Sa manière est la manière accumulée de Pollentier domptant les velléitaires pendant cinq heures de rang, et de Demeyer assurant dans les derniers kilomètres une démesure dans la locomotion. Le petit gage Freddy d'une arrivée au sprint ; le grand interdit aux sprinters – férocités en suspens – de voler Freddy de ce que Lomme a promis. Marc pavane sa force de foirail à la vitesse du cheval, légèrement en deçà. Il ouvre à Freddy une brèche dans l'horizon. Quand Freddy sort du sillage de Demeyer, les suivants entendent son vélo craquer. Ils savent qu'ils ne reviendront pas. En cent mètres, Freddy passe de soixante à soixante-quinze à l'heure.

C'est la vitesse maximale.

Pendant deux saisons, les Flandriens fêtent au champagne. Ils opèrent des razzias en Andalousie et jusqu'en Italie. Ils deviennent fameux. Freddy s'inaugure sur le Tour de France : il fait le roi au sprint et contre le chronomètre. Freddy lève tant les bras qu'il s'élève du vélo. Lomme, contre argent, freine Freddy et vend les sprints à d'autres.

La puissance de Marc est manifeste, celle de Pollentier défie l'entendement. Les journalistes moquent ce nabot au guidon errant ; il serpente deux fois plus long. Moitié chauve dès les vingt-cinq ans, il grimpe comme un follet, secoue des braquets lourds et demeure silencieux. Un fœtus de rat, paqueté de publicités. Hinault l'appelle « le Polio ». Pollentier harcèle les sculpturaux et œuvre pour Freddy dont le muscle extravagant bossue la polyamide.

Grisés, saouls de victoires, jamais revanchés, ils opèrent une rafle et rigolent en roulant. Une frénésie les habite. Ils traversent l'Europe en tous sens, de la Sicile aux Pays-Bas, embauchent chez dix patrons. Ils fuient, chargés de liasses, à pleine essence, supprimant tout carême. Lomme l'Exagérateur compose un calendrier à vingt mois l'an. Freddy gagne un jour en Italie, le lendemain en Belgique. Il court le matin à Gippingen, l'après-midi à Moorselede. Lomme garde le champagne et les seringues au froid. Lomme n'a pas menti, l'argent coule. Le cœur est chaud des maléfices anciens qui emplissent le cendrier.

Sous le ciel des Pouilles, leurs vies trouvent un aboutissement. Freddy est champion du monde. De ce jour, Lomme et Freddy prévoient les fleurs et les bouteilles en quantité. Que l'arrivée soit ou non franchie, ils commencent à sabler.

À l'automne soixante-seize, Maertens et Pollentier sont en tête d'une course contre la montre disputée en duo. Lomme tend le champe à Freddy, dans un bidon. Il tend le sien à Pollentier, qui accroche l'auto. Ils étaient en tête : maintenant se traînent à la mesure de Pollentier qui serre le mors, clavicule brisée. C'est un avertissement. Ils ne relèvent pas.

L'automne bascule sur une saison nouvelle. Freddy achoppe sur Paris-Roubaix. Il bute sur le Tour des Flandres. Rien ne va. Il récolte les places d'honneur et le dédain du peuple belge pour qui le pavé vaut académie. Lomme et les soigneurs de l'ombre agiotent sur l'impossible. À Freddy qui prend tout, ils donnent encore plus. Le Tigre et l'Euphrate mêlent des eaux troubles ; en Freddy s'unissent le champagne et une marée de corticos. Il se dédouble d'une ivresse navrante, passe de fièvre à stupeur au hasard des fioles multipliées. Freddy sombre dans l'abattement lyrique. Il se fait pincer, jure son bon droit. Freddy montre une face de ripaille et des yeux de varan, d'hilarité à tristesse, cédant. Ses lèvres se déforment et le monde se déforme devant lui. Les chroniqueurs parlent de schizophrénie.

Ange et silène.

J'enlève à Freddy les masques effrayants. Freddy ne triche pas de plein gré, puisque aboutit en lui la fable ravagée du *lumpen*. Schizophrénie n'est pas le mot quand le passé pousse ses ombres sous la roue. Les gueux fantômes implorent un visage de résurrection, fût-il de plâtre comme les chairs d'Ensor, qui rédime la peine. Les côtiers vagabonds réveillent les errants. La folie grandit en eux de ces voix humiliées qui réclament un corps. Le cauchemar revient, d'exils et de sols recourus. Freddy et Michel décident de fuir plus loin. Ils veulent oublier. Ils passent du gris d'Ostende au Sud colorisé.

La lumière latine aveugle ces sentimentaux dont le cœur se nourrit de crépuscules réussis. Un excès de ciel offre la plénitude d'une révélation. Les petits côtiers se répandent sur l'Europe, au loin des souvenirs, et prennent ce que veulent : écus, roses et toutes variétés de droguailles et de boissonneries. Se dilatent dans l'extase d'une totalité, quand leur mystique n'est que frelatée.

Au début de l'année soixante-dix-sept, Freddy sous son maillot de champion du monde écrase Merckx et les ténors dans la froidure du Het Volk. Sous neige et bourrasque, creusant entre les flocons, Maertens s'adjuge la classique liminaire en prévision des grandes. Lomme cache du Lanson dans la bouteille Thermos. Merckx et De Vlaeminck sont sonnés debout. Viennent les classiques majeures, que Freddy n'empoche pas. Il part au Sud reprendre ses orgies. Michel gagne une étape au Tour d'Espagne, Marc aussi. Freddy en gagne treize, qui sont treize rages. Aux autres il ne reste rien. Cent victoires au Sud n'effacent pas la défaite dans l'Enfer du Nord. Freddy s'en va sur le Tour d'Italie pour prolonger le sac. Il slalome en barbare dans les villes antiques. Il s'effondre lors du sprint à Mugello. Son poignet se fracture. Sa vie aussi.

Lomme le soir même oublie ce gros blond qui ne rapporte plus. Il n'a qu'une phrase : « Avec un mort, on ne peut plus vivre. » Lomme a commandé une ambulance pour faire Pise-Milan. Lomme n'a pas daigné réserver un avion. Freddy rejoint la Belgique comme il peut. Lomme émancipe Michel et l'instaure dauphin. Malgré la façon torve, malgré la calvitie. Pollentier remporte le Tour d'Italie que Freddy suit à la télé. Il s'envole sur le Tour de Suisse. Il avance dans la flambe nouvelle. Il augmente sa préparation, s'acharne à se prouver. Pollentier se déploie et avale tout avec l'ardeur d'un chevelu.

Lomme sans Freddy perd sa raison d'être. Fred De Bruyne, ancien champion, ex-vedette permanentée de la télévision, s'installe au volant de la Flandria sur le siège éventré de Lomme. Fred ne vient pas de la peine. Il n'a pas cette férocité que Lomme avait. C'est un Narcisse jouisseur incapable d'illumination.

Pollentier s'accroche au rêve interdit : succéder à Freddy. Il gagne le Dauphiné sans le conseil de Fred, il lorgne le Tour de France, approche un absolu. Le nabot veut aller haut. Il se grandit à l'Alupin, une chimie d'altitude qui dilate son homme. De Bruyne laisse faire. Pollentier survole L'Alpe-d'Huez dans des contorsions de damné. Il arrache le maillot jaune et se présente au contrôle, une poire d'urine dissimulée sous l'aisselle. Une chimie est découverte dans ses eaux. De Bruyne n'a pas vu le traquenard. Nul ne voulait d'un nain vilain sur les Champs-Élysées.

La Belgique se détourne des côtiers présomptueux, déboulonnés comme des drôles. Les trois se disputent et les trois se séparent. Demeyer clôt le compte. D'un uppercut il étale De Bruyne qui n'a pas fait comme Lomme faisait.

La Flandria s'écroule et s'écroulant implore les petits Flandriens de cotiser dans des succursales déjà toutes écroulées. Sur un même nuage s'envolent les fortunes de Maertens, Demeyer et Pollentier. Il leur manque ce que les vieux coureurs appelaient «constance» et «fermeté d'âme», quand on demeurait au tiède, prolos modestes comme les parents. Les innocents s'affolent dans la débâcle. Nombreux escrocs les suivent, les mettent vifs en terre. Tout est perdu, brûlé, truqué en placements. Bercés d'oscillations mentales fort lentes, ils ne sont plus que jambes, simples flahutes et prolétaires de soi – au principe fatal de l'étymologie.

Loin les soirs du chalet Lillebroek, quand l'avenir ployait sous les ordres du Commandeur. Seuls sans Lomme, ils sont sans cerveau.

Freddy se remet en chasse. Son corps perfusé d'alcools et de corticoïdes ne cicatrise plus. Que son poignet guérisse, le fisc arrive et crache son encre noire. Soutenu de sa seule épouse qui suit la lumière en lui, Freddy entame une seconde existence qui est de camps levés, de vaisseaux mis en eau, à s'enfoncer très bas en croyant remonter. Freddy paraît chaque saison sous le costume d'équipes appauvries. Il monnaie son nom à peu cher si on paie le plein. Lomme boit seul à la splendeur partie. Lomme le Menteur et Freddy se retrouvent au chalet Lillebroek, puis refont le monde au tiède d'une friterie, en hobereaux ruinés ; entre stouts et faros conviennent d'une entente. Un cerveau, deux jambes, ils ne rêvent plus de champagne ni des classiques majeures. Juste s'essayer à vivre, dans le rituel commun. Freddy n'a plus l'usage des grands braquets. Lomme n'a plus le courage des grandes crapuleries. Ils ont perdu le sens de la monumentalité.

Freddy se présente au Tour des Flandres comme si la vie allait. Grugé au contrat, pas payé, que fait-il là ? Demeyer le toise au départ. Ils ne se parlent pas. Sans la motrice de Marc, sans la police de Michel, Freddy termine le Ronde à la sixième place. Il sombre dès le soir dans une maladie de quatre mois. La fièvre de naissance le reprend aux épaules. Le mal retombe sur Freddy en eau. Il change quatre pyjamas par nuit. Il perd douze kilos. La fièvre part un matin comme elle était venue, trente ans plus tôt, entre les murs de l'appartement-épicerie.

À Demeyer qui s'est offert Paris-Roubaix parce que Freddy ne pouvait pas, Pollentier réplique d'un Tour des Flandres où Freddy ne gouverne plus. Aux équipiers mineurs, les classiques majeures. Freddy le génie sprinter se résume en classiques subalternes et moyennes supérieures, dont il s'est fait le grossiste inquiet, à l'exclusion des hautes.

À la saison suivante, Freddy porte six kilos de trop et ce palmarès énorme où les belles courses ne brillent pas. Il s'entraîne en secret. Il secoue les dunes où Michel n'est plus. Il arrive sur le Tour de France et arrache des sprints où Marc ne le précède plus. Il renaît seul, en artisan, sous la houlette de Lomme devenu vieux.

Arrive le championnat du monde de Prague. Freddy revêt le maillot arc-en-ciel pour la seconde fois et le glas résonne du procès perdu contre les patrons de la Flandria. C'est la victoire. C'est la déroute. Freddy est champion du monde, mais les liasses ne reviendront pas. Les trois sont plumés. C'est à n'y comprendre rien.

Marc d'Outryve accroche ses cervicales au bois de l'escalier. Freddy, Merckx et De Vlaeminck marchent derrière le cercueil de l'ami forgeron. Michel suit un peu plus loin.

C'est la fin des fêlés, l'effondrement des *Die-hard* dans la farce des fous.

Freddy d'Ostende se survit lentement, écrasé par le fisc, par l'alcool assommé. Il ne quitte plus la Belgique. Il se traîne de kermesse en kermesse sur la carbonade des chemins, d'est en ouest et retour, suant gras. Il ne sait plus où loger. La maison est vendue, la béhème bradée. Freddy brocante sa légende de feu, loge où c'est plus grand, dort où c'est plus chaud. Il finit dans un meublé froid. Les anciens supporters offrent de quoi manger à cet homme vacant. Freddy erre dans les courses fantômes où de petits Flandriens veulent toucher sa main. Un prêtre bénit les coureurs et Freddy qui n'avance plus. Il a pris vingt-quatre kilos. Il passe Barry White en boucle et le poêle ne tire pas.

Freddy arrête sa carrière vaine. Il vend de ville à ville, dans les hameaux digérés par l'eau et le genièvre, des culottes cyclistes à fond chamoisé. C'est un ambulant qui renaît à l'ancienne façon, entre les bois de Bastogne et les plaines de l'Yser, de Charleroi aux chemins d'Ostende, sur la piste des pousse-chariots.

Lomme est mort. Michel déplace des pneus de voitures et de camions. La Flandre ne change pas.

Chaque année à Ostende, c'est le Bal du Rat mort.

Freddy ouvre et ferme les portes du musée cycliste de Roeselare. Il montre la draisienne du baron Karl Friedrich Drais. Il dit comment le roi Léopold au vélodrome de Bruxelles offrit au vainqueur un étui à cigares en argent. Freddy fait le guide. Ne se vante pas ; il tient la caisse aussi. On observe ses yeux gros à la Beuys qui rappellent un temps.

À qui demande, Freddy raconte l'histoire dans l'histoire de trois ébouriffés, rescapés d'un siècle et demi de chierie.

Ils sortaient de la besogne.

LA VIEILLESSE D'ALEXANDRE

Ancien cycliste, il claironnait que la souffrance du coureur n'est rien. La vie de son père, ancien mineur mort à la peine comme un chien, faisait un exemple suffisant. Dans ses vieux jours, Alexandre Pavisiak tourna en dérision le supplice de la route. Il allait partout suivi d'un teckel affublé du maillot de champion du monde.

L'art de sprinter

À son essence, dans le clos des fumées – vélodromes de bois africain et soleils acétylène – le cyclisme se grandit des aristocrates du sprint. Les premiers champions géants sont les hommes de la vitesse, des surmâles entre deux siècles, acheminés par train et bateau, entre les pistes d'Europe et du monde nouveau – couverts d'extravagantes et de trophées, louant calèches, prenant loge à la Comédie-Française, cramant aux courses et coursant les femmes aux sourcils peints, dominant les fumées d'usines par le jeu des alcools et de l'opium associés.

Ce sont les hommes de la « vitesse pure ».

Arthur Augustus Zimmermann tourne les jambes à cent quatre-vingt-sept tours minute. Sans lanières aux cale-pieds, pourvu d'un braquet dérisoire de cinq mètres trente-trois, de pneus de trente-huit millimètres de section, monté sur un vélo de douze kilos aux manivelles minuscules, il couvre les deux cents mètres en douze secondes et le kilomètre en une minute et neuf secondes.

C'est un géant du New Jersey aux proportions étranges.

Il porte au firmament une discipline dans l'œuf. *Zimmermann first, others nowhere.* Le «Yankee volant» rembarque pour les Amériques sur un paquebot, suivi de deux pur-sang blancs, de vingt-sept valises en sanglier, d'un piano, d'un râtelier de fusils précieux, d'horloges, de fauteuils, de services en porcelaine rare. Alfred Jarry a sa photo épinglée dans son pupitre d'écolier.

Major Taylor est un félin mystique qui ne court pas le dimanche. Premier champion noir, héros de l'un contre tous, il efface le cent mètres en cinq secondes et le *mile* en une minute dix-neuf. Se fait applaudir pour sa survitesse, huer pour sa couleur. «Le Nègre volant» rejoint les Amériques en bateau, sans malles ni butin. Il s'éteint dans une chambre du pavillon des indigents de l'hôpital de Chicago.

James Michael, le nain prodige, se laisse doper à mort par l'immense Choppy Waburton, mentor et soigneur mystérieux à chapeau dont Lautrec a laissé le portrait.

Artistes bateleurs. Princes fumeux sous des manteaux à dix kilogrammes. Des enchanteurs venus et disparus entre les pans de nuit. Leurs capes chutées sur le parquet sont le premier vestige – du cyclisme, le placenta.

Le cyclisme naît du sprint, à l'initiale d'une vélocité concurrente des chevaux. Les sprinters viennent de la caste originelle. Emportés sur l'illimité de l'espace et du temps. Ils explorent les vitesses où l'air n'est plus élastique. Les sprinters sur piste n'essaiment pas hors le vélodrome. Ainsi des demi-dieux conservés sous verre dans le laboratoire de la Création. Ils patientent au secret d'effluves suspendus.

Transposé sur route, le sprint perd sa magie. Il échoit à de petits corps campagnards. Les sprinters de grand air augmentent de hargne et de ruse leurs petits segments. Par l'attentisme et le vice, ils instaurent dès le fondement une guerre sournoise avec les routiers.

On les nomme des emballeurs.

Chevelure drue et crépue, Octave Lapize est le premier prince de l'emballage. Lapize démarre le plus tard possible, c'est un finasseur à l'œil noir qu'on déteste, un finisseur magnifique qu'on admire le moment suivant, une gloire vite venue, engloutie aux tranchées.

Arrivent les géants lévriers.

Les emballeurs des années trente sont les enfants de l'armistice. Ils sortent du carnage avec une joie tremblée. Leurs cœurs énormes bougent les côtes flottantes. Ils conservent dans l'âge d'homme la nervure de l'enfance. Les plus solitaires, selon leurs vertus, lancent le sprint de loin, à l'esseulée, d'un coup de reins, sans s'abriter dans la dépression des équipiers. Ce sont des thorax larges effluents, des furtifs considérables qui se grisent au contre-courant et remontent la file, pirogues sur le mascaret, déjouant le flux des affaiblis.

Ils filent la terre comme un plancher exotique. Ils veulent oublier. Ils restaurent le luxe et les manières du vélodrome. Ils sortent des années de krach en habits de gala. Dandies aux cheveux de jais. Hautes encolures. Charles Pélissier et Raffaele Di Paco surgissent du tourbillon. Ils se mesurent sans heurt, se frôlant, fauves qu'un sourire retourne. Charles fait un ravage sur les féminines. Il rafle huit étapes sur un Tour de France. C'est le grand record. Di Paco envoûte à l'italienne, le grand Pélissier contrefait Brummel, en plus hâté. Ils conservent des Six-Jours hivernaux la vélocité du guépard, le geste de velours. Ils ont du tombant.

Après la Seconde Guerre mondiale, le sprint dévie. Moins qu'un art, ce n'est plus qu'un adjuvant. La vitesse pure dénature en vitesse efficace. Le sprint devenu veule et massif se soutient de routes plus lisses, de corps et de machines semblables, de diététiques et de dopages mieux partagés : par ces nivellements nombreux le sprint instaure dans la cohue une rage d'égalité, d'écharpages réglés.

Ce sont les sprints affreux de mon adolescence. Sprinters dans mon souvenir s'affrontant dans une anarchie de panneaux et de fanions diminuant le ciel. Surgis plein écran des farceries commerciales : réclames de l'électroménager, cages à rats Merlin-Plage et les limonades, en galimatias.

Ces possédés s'élèvent de selle au même instant, battent l'air à bras repliés, plus frénétiques que les poulets. Agaçant des moignons d'ailes, ils ne s'envolent jamais. À trop fantasmer l'extase du grimpeur et ses grâces rapaces, ils finissent envieux. Les sprinters sont déplaisants. Ils s'énervent entre les grillages du poulailler, dans un soulèvement de poussière. Ce ne sont que volailles privées du don d'élévation – sinon ne se battraient pas pour des graines lancées.

Pourvoyeurs d'ennui, ils éteignent les premières étapes du Tour de France. Ils se heurtent par les membres bas et hauts, montrent les dents. Ils se ruent en masse vers la gamelle. Le premier a double ration. C'est le mieux content. Écœurement à ces gueules tendues. Se nourrir ? Se battre pour exister ? Où va cet homme joyeux, à sa gueule l'os sanguinolent ? Une tristesse de soupe populaire s'élève de l'arrivée.

Le sprint sur piste relève de l'art. Les sprints collectifs sur asphalte et goudron sont la contrefaçon. Ces victoires à Bordeaux, Nantes et Nancy, sur le sol d'une France aplatie par les glaciers, contredisent le cyclisme dans son essence. Les sprints massifs nient l'art de la fugue et le mystère du sprint – ce duel d'homme à homme où l'absolu de la vitesse fait loi. Les sprints promus par le groupe, offerts au plus lésineur et charnu, amènent le cyclisme sur la pente commune. Il y va de l'étrangeté démocratique : la lutte à mort d'êtres tous égaux. Le sprint parle le langage de citoyens devenus chiffonniers.

J'éteins le poste.

À l'espère du lièvre, les renards mettent en joue le dernier échappé. Déplié du tissu conjonctif, le fugitif, seul nécessairement et fou à se vouloir esseuler, offre son pelage. Cette joie du peloton, griffe sur la proie jaillie. L'ivresse des sociétaires ferrant l'insoumis, ajustant la perruque avant de guillotiner. Le sprint porte en gloire les hommes de meute. Le peloton aux cent yeux dit sa soif de sang. Lacère le risque-tout. Donne sus à.

Le peloton parvenu à l'heure de son débridement produit un chant monodique. Les faubourgs plus densément noircis de population voient les sprinters coaguler, haussant la vitesse dans une vibration de cargo. Ayant sacrifié les téméraires, verrouillé la maison, apposé les scellés, les sprinters bitumiers se battent entre eux. Obsédés d'argent, ils éborgnent et coudoient. Ils gardent sous les ongles la laine des maillots. Les sprinters rôdent dans le nombre et conjecturent les primes. Ils remâchent des zéros. Ils règlent des pelotons. Usés à s'entre-craindre, ils s'entre-pillent et gredinent et gueulent entre eux. Ils n'ont rien à raconter au chroniqueur, c'est prouvé, que cet amour des platitudes : ils rêvent d'un monde entier comme la Beauce. Ils sont de la plaine et du plain-pied. Des niveleurs et des nivelés.

J'attends les étapes de montagne.

Je rallumerai la télévision.

Les grimpeurs émargent au schéma des exaltés silencieux, séditieux sous les brumes d'altitude. Ils ont moins peur des loups que des bandes humaines. Les grimpeurs réveillent les puissances vélocifériques, s'échauffent à la lueur des dionysies. Ce sont des tragiques, au standard de Nietzsche – yeux plein de feu, des suicidaires.

Les sprinters montrent un goût de la survie, un instinct de conservation qui fait honte. Ce sont des hommes d'attente et de dissimulation. Opportuns sous le voile, rempardés contre le vent, ils cherchent à se placer. À tant aimer l'ordre des choses, la dictature du fait, ils plient leurs fibres à l'évidence. Cette façon de patienter et d'aller sous le masque. Psychismes en latence, corps d'ouate livrés aux puissances somni-fériques. Ils font les morts. Les sprinters d'asphalte brassent le sang froid requis à la filtration de l'attente. Masses de chair tassées dans le canon. Leurs cœurs tictaquent dans l'espoir du panneau des cinq cents derniers mètres. Quadriceps en jachère, poumons dans la contention, ils s'économisent avant de frapper – condensent des sucs d'assassinat.

Lame dans l'obscurité, le sprinter arrive dans le dos – Brutus, entre les omoplates.

Je déteste les sprints bâtis et fomentés par les sprinters vedettes restés en basse-cour, qui somnolent six heures puis joutent en poitrinant. D'un coup vont paradant, plumes dehors. Quelle vie. Se masquer le matin. Attendre jusqu'au soir. Regarder sans être vu. Laisser l'autre agir pour soi. La journée du sprinter fait allégorie. Géniaux parasites. Pique-bœufs. Ténias mortaisés aux entrailles d'une société.

Si le grimpeur n'est qu'orgueil, le sprinter n'est que vanité ; il se veut duc et désigne des corvéables, agis de cordons, de promesses dérisoires. Les sprinters appartiennent à Balzac, ficelés de ruses et de friponneries. Les grimpeurs reviennent d'autor à Sophocle, qui sacrifie. Les sprinters veulent un chapitre dans le roman classique, que Coppi n'intègre pas, séché sous le maroquin des tragédies. Le sprinter ne défie pas les dieux – en lesquels il ne croit pas. Huilé aux arcanes de la cité, frotté de passions humaines, s'y vautrant. Le grimpeur ne peut survivre dans ce grouillement de pulsions enchevêtrées. C'est sa grandeur. C'est sa perte.

Le sprinter attentiste installe le cyclisme dans la façon malauthentique. Sous son crâne s'agitent mille frauderies toutes polymérisées que le grimpeur ne comprend pas. Les sprinters sont des natures vermeilles. Les escaladeurs surgissent passés de cendres, venus de pays aux chimies arrêtées.

Ces finisseurs sont des calculateurs puissants, des rénaux. Ils vieillissent sur les rentes, rubiconds dans la reconversion – s'achètent de nouvelles dents. C'est un fait qu'ils vivent plus loin que les grimpeurs suicidés avant l'âge : Pottier, Ocaña et Pantani. Ils ne finissent pas neurasthéniques obèses comme Gaul Charly, mythomanes paranoïdes comme Vietto René. Le costume des pansus d'Ingres leur échoit à quarante ans – chaîne or, gousset, au sous-sol les deux autos.

Je n'aime que les sprints à l'arraché des routiers parvenus à cinq sur le vélodrome de Roubaix, à trois sous la bannière du Tour des Flandres. Ce sont des rages de survivants, des empoignades d'hommes ayant payé la note, épris d'une solitude d'où les inutiles sont déboutés. Gagner un sprint après deux cent cinquante kilomètres de course, plusieurs cols gravis, dix averses essuyées, est une vraie partie. Suivre les rouleurs sur la plaine, les grimpeurs sur les pentes – les suivre jusqu'à l'arrivée, vélodrome de Milan ou de Roubaix, et les battre tous, est un juste jeu. Peu s'y conforment. Ne s'y plient que les routiers-sprinters, seuls finisseurs respectables, ces hybrides de la ruse et du courage, de l'asphalte et du parquet. Le temps leur rend justice. L'histoire du cyclisme, raccordant ses extrémités, fait lessive du détail. Elle réserve les hauts faits. Les sprinters de la planque et de la finasse dégorgent en fond de bassine. Ils sont presque oubliés : des emballages inférieurs en quantité, aucune classique majeure. Les routiers-sprinters par justice immanente occupent la mémoire. Ils sont trois routiers-sprinters dont les œuvres égalent celles de Zimmermann et Major Taylor, les hommes volant du début. Trois et pas plus.

Rik Van Steenbergen, dit Rik I.

Rik Van Looy, dit Rik II.

Et Darrigade, Basque à houppe de Riquet, dit Dédé.

Tous ont réussi prodigieusement de sprints. Des sprints faciles de vitesse pure où le don suffit. Et les sprints impossibles qui gonflent les yeux, à demander un manteau et des bras, pour soutenir le corps.

Rik Van Steenbergen est un colosse d'un mètre quatre-vingt-six et quatre-vingt-trois kilos. Il amasse sur route et piste une fortune, prince du jour et de la nuit. Il court de l'année quarante-trois jusqu'à l'an soixante-six, sans montrer de fatigue, dormant dans l'auto, se nourrissant d'un pain, assis sur le trottoir à l'ombre de sa machine. Il broie l'or et les kilomètres et dilapide aux casinos. Les brigandins du poker le remuent comme une paille. Il a cinq filles, il en fait cinq reines. Rik d'Anvers se démène de kermesses terribles en kermesses minables. Il brille dans les Six-Jours et dans les courses d'un jour, au Tour de France et au Tour d'Italie, montrant partout ses poumons emballés de soie. Ancien rouleur de cigares, il veut un immeuble entier pour chacune de ses adorées. Il embarque jusqu'en Argentine pour fondre de plus gros lingots.

Sa santé semble inépuisable. C'est un titanesque. Un mercenaire frisé respecté des Césars.

Un Goriot flandrien.

Le grand Rik est un tacticien fabuleux, une puissance d'exception. Mais une puissance irrésolue, éprise de nonchalance. Un taiseux, un flambard, dilettante insatiable, une montagne de paradoxes. Un truqueur de haute mine, n'hésitant pas, si le destin hésite, à crocheter la voiture de la télédiffusion.

Sa carrière est une prose d'espèce gigantique. Il naît plus gros que les humains. Dès ses vingt ans, Rik est champion de Belgique dans toutes les catégories existantes.

Il joue de pesanteur acrobate, glissant sur l'okoumé.

Il vire à plat sur la cendrée.

Avec sept cent quinze victoires sur piste et trois cent vingt sur route, Rik I n'a autre rival que le sprinter de Liège, Simenon Georges. À l'addition des romans, articles et nouvelles, l'homme à la pipe ne lui arrive pas au guidon – Simenon ne se revanche qu'à l'inventaire des femmes cumulées. Van Steenbergen figure au livre de comptes comme la plus forte santé de l'histoire du cyclisme. Un gisement à ciel ouvert. Il ne se perd pas en forages et creusements : il prend l'or entre ses doigts. Rik montre le port de tête de Noureïev. Certains affirment son corps plus réussi que celui de Merckx. Des charges extraordinaires s'accumulent en lui, avant d'exploser.

Trois fois champion du monde, capé des plus belles classiques, il aurait pu faire mieux, en limitant sa cupidité, en espaçant l'agenda. Rien ne calme sa faim. Ni sa peur de manquer. Né à Anvers dans la peine, décédé à Anvers dans la misère, Rik Van Steenbergen terrorise Fausto Coppi, Gino Bartali, Koblet, Kübler et Louison Bobet, les plus grands de son temps. Il parle peu. Il montre une fierté.

À son terme, Van Steenbergen voit venir un autre Rik dont le cheveu tombe plat, dont les membres sont moins longs, dont les cuisses plus charnues déforment les caleçons. Il démarre en taureau, le cerveau assis sur les muscles colliers. Un autre Rik qui s'appelle Van Looy. Un ancien godelureau, chaloupeur de bals, que la police de village a mis sur un vélo, pour lui rentrer les nerfs.

Rik Van Looy peine dans l'ombre de Rik d'Anvers, le géant primordial. Le titre de Rik II lui est accordé, qui est un fardeau d'abord, puis une définition. Van Looy conserve de Van Steenbergen l'obsession dans les yeux. Comme lui broie quelques roues. Mais il soumet le sprint au principe de raison. Rik I allait seul à la manière volcanique brutale. Rik II ne laisse rien au hasard; il ne flambe rien au jeu. Rik I est un barbare muet, Rik II le sénateur froid.

À Rik Van Looy revient l'intuition du sprint moderne. N'ayant pas tant de filles à doter, Rik II sacrifie ses primes pour salarier les meilleurs rouleurs de son pays. Il ne va jamais sans un nombre de licteurs appointés. Ils forment une Garde rouge, puis un Escadron noir, selon la nature du temps. Ces majordomes ont pour prénoms Armand, Edgar, Édouard ou Julien. Ils décident des incendies, des bordures, des stratégies offensives et préventives. Ils portent les matraques et défendent le maître avec l'onction des chambellans. L'un se prénomme Benoni. Ôtant sa jugulaire, il fait faute en battant son seigneur d'un boyau, le jour du championnat du monde. Van Looy et les mercenaires demeurés fidèles le brisent. Benoni ne gagne plus sa vie et arrête le vélo.

Rapide aux arrivées, Rik II ne temporise jamais. Il avance à la tête d'une organisation. Soutenu de ses appariteurs aux mâchoires carrées, Van Looy ne se contente pas d'une protection. Ses affidés participent d'un déploiement systémique. Van Looy déteste les petits coureurs, et les petits sprinters plus férocement : il durcit la course pour les humilier. La beauté selon Van Looy consiste dans l'engloutissement des mammifères inférieurs. Rik II bride la compétition pour la rendre belle. C'est un athlète lourd épris de justice. Il choisit l'équipe Solo Superia, s'enveloppant d'une solitude qu'il veut supérieure. On l'appelle l'Empereur. Ou Rik Imperator, au mode romain. Il ne quitte jamais la position du dominant. Il fait disposer ses manettes de dérailleurs, non sur le cadre, mais sur les embouts du guidon, où demeurent ses mains. Il veut garder une prise, pourpre et raideur, une emprise cardinalice. Rik Van Looy gagne quatre cent quatre-vingt-douze fois. Son nom paraît au palmarès des grandes courses deux fois plus que Rik Van Steenbergen, ce génie brouillon. Sourire large, pliures nombreuses aux commissures, Rik Van Looy est le portrait d'Yves Montand.

Puis arrive Dédé.

Moins adroit que Rik I, et moins dolménique. Moins malicieux. Indifférent au modèle autocrate de Rik II. André Darrigade arrive dans un trou d'air. Fluide, instinctif, passant du clair au sombre entre les nuages, il ressuscite l'adolescence, l'inexpliqué de la vitesse. Darrigade rend au sprint son mystère. Il refuse le fouillis des routiers vénéneux assombris par l'humeur des villes. Jeune Landais monté à Paris, dans la cacophonie du vélodrome d'Hiver, il supplante Antonio Maspes en classe pure – avant que ce dernier ne devienne sept fois champion du monde de vitesse. Darrigade offre sa jeunesse limpide à la course sur route où s'exprime son foudroiement de pistier. Les deux Rik assuraient un prestige de leurs chairs et de leurs venins. Dédé est leur supérieur en « vitesse pure ».

Rafales.

Suspensions d'air.

Vents siffleurs.

Darrigade s'adosse au monde élémental.

Il sort du vide, arrivant de nulle part, comme une fraîcheur.

Il surgit d'une bourrasque, laissant une émulsion de pins.

Dédé introduit dans les combats reptiliens une transparence chlorophylienne.

Fils de métayers, Darrigade vole de ville à ville, sans attache terrestre. Ses sprints viennent en délivrance, sa fougue en excès de joie. Moins qu'un paysan, c'est une variété de bienheureux soluble dans l'humain. Sorti du folklore des djinns, Dédé cherche une alvéole dans l'invisible moléculaire. Il craint Van Looy plus qu'aucun autre, ne frottant jamais, mais débordant. Van Looy soulève le 52 × 13, un gourdin. Dédé agite un 50 × 15, badine de sourcier. Il traverse le peloton, étant la fronde et le caillou. C'est un bondissant qu'un mistral propage. Il gagne peu de classiques, mais empoche vingt-deux étapes du Tour de France, posé sur le vent de juillet.

Son coup de reins modifie la résistance de l'air.

D'humeur volatile et toujours content, masquant sa peine sous des «r» roulés, Dédé est un colérique abondant mais vite sec. Réclamant peu de brigadistes, Dédé se propulse à ses frais. Les Français aiment son sourire et sa dentition d'Hollywoodien. Vêtu du maillot de champion du monde, il connaît la grande popularité de Charles Pélissier et perçoit tôt le génie d'Anquetil : ils sont de même blancheur. Darrigade grimpe bien. Il aurait pu gagner un Tour de France. Darrigade aide son ami Anquetil à en gagner cinq. Qu'une attaque survienne, Anquetil rêve en queue d'autobus. D'une nature craignant le surpeuplement, il traîne sur la plate-forme. Darrigade immuablement se laisse décrocher, installe le badaud de force dans sa roue, sprintant de l'arrière vers les avants, sans poinçonner le ticket. D'un relais main dans main, Dédé lance Jacquot vers son destin.

Darrigade aime le sprint pour l'ivresse du regard, l'instantané. Il aime Anquetil, blondin comme lui – ce cristal de muscles. André Darrigade restitue le sprint à l'étymologie anglaise. Saut. *Jump.* Élancement. Il est l'artiste essentiel, l'élément alcyonien.

Quand Darrigade arrête la carrière, peu avant la conquête lunaire, on observe un flottement. Merckx arrive, qui précise ses métiers et diplômes annexes : rouleur, grimpeur et sprinter, doté d'une agrégation en férocité. Merckx ajourne les doléances des corporations. Les sprinters survivent dans des interstices. Roger De Vlaeminck occupe les failles à l'abandon. C'est un sombre et tortueux qui s'empare de toutes les classiques, agissant à lames brisées, quand le soleil descend.

De Vlaeminck reste l'emballeur solitaire d'une époque de plomb où les natures étroites cherchent à exister – où des êtres de petite taille se bousculent dans le corridor et piaillent pour une régence. Des natures sauvages. Des casse-cous. Des brise-nuques. Des risque-tout. Des projectiles humains. Des balles traçantes dilacérantes qui pètent entre les courroies.

Ces vitessiers minuscules ne présentent pas un spectacle de sprint, mais un jaillissement de pulsions enlacées. Ce sont des incandescents bas au garrot, obsédés de la touchette et de la friction.

Des bousculeurs.

L'ordonnancement de Van Looy leur est contrainte. Ils démarrent tôt, jaillissent tard. Ils entraînent une débâcle, jetant le vélo à l'extrême de leurs petits bras – fessiers extro-fléchis derrière la selle, trente centimètres au-dessus du vide. Ils gagnent par vilaine face et contorsion – surgissant sous le bras des costauds, taillant le lard humain. Ils passent le boyau d'un mille. Ce ne sont pas tant des sprinters que des hommes de déboulé.

Des étrilleurs.

Cyrille Guimard est de ceux : une gâchette miniature impossible à calmer. D'adresse et orgueil extrêmes, il accepte le diminutif de « petit Poucet », vite enflé en « petit Napoléon ». Cyrille Guimard indispose le grand Merckx jusqu'à dislocation complète des genoux. Il cesse le même jour de sprinter et marcher.

Les souverains détestent ces écourtés, ces furets solitaires qu'ils jugent des usurpateurs – survivant aux frontières de la régularité, à la lisière du déclassement. Ils gagnent d'un cheveu, à l'épreuve des photos. Ils actionnent seuls : divaguant, osant un guidon dans la césure, jamais tangentiels, désenclavant à l'ultime seconde devant le mur des photographes. Ils n'ont pas peur de tomber.

Je donne le blason d'Éric Leman, Flandrien bas : trois Tours des Flandres gagnés – avec des jambes de culbuto.

Je glisse la médaille rouillée de l'Italien Marino Basso, champion du monde une fois – nom conforme au format.

De ces chahuteurs, le plus prometteur et inabouti demeure Van Linden – prénom Kamiel – qui se fait appeler Rik, comme les deux. Il dévoile en gagnant une denture de mangouste. Mais ne parvient jamais au titre de Rik III. Les chutes en quantité divisent sa durée. Il a l'agilité de la belette et la viscosité de la loutre, quand il ne porte pas le plâtre.

Au déclin de Merckx, la meute bascule au présent des vitesses nouvelles, dans l'époque moderne du sprint rectifié, poli au ratio, travaillé au millième.

Surgit le vrai successeur des Rik. C'est le gros Freddy. Le cheveu jaune de Darrigade. La cuisse de Van Looy. L'avidité de Van Steenbergen. Freddy Maertens fait synthèse en épaisseur dans le temps des missiles et des propulsions étagées. Assisté de Marc Demeyer, fort comme quatre, large comme un fût d'hydrogène, Maertens affine l'épure de Rik I dans son harassant procédé. Demeyer agit en poursuiteur, cinq kilomètres durant, dans une sape liminaire. Freddy sort de son sillage et assure la finition – à la façon cursive anesthésiante du kilométreur.

Freddy balaie les tentatives inabouties de Willy Vannitsen et Patrick Sercu de transférer sur route la fulgurance de la piste : ils valaient leurs onze secondes aux deux cents mètres et guidonnaient plus vite que tous les routiers.

Il est de tradition, depuis un siècle, que le sprinter pousse le rival à prendre les devants et se cale dans la roue avant de s'exfiltrer – Freddy oublie l'usage. Freddy Maertens instaure le sprint niant le sprint. Freddy élude le *jump*. Il pose l'équation d'une poursuite suivie d'un kilomètre lancé – deux spécialités de la piste, distinctes du sprint pur, jugé sur deux cents mètres à la manière volante. La foule entre les pancartes réclame un assaut foudroyant : elle doit entériner le déploiement logique de Freddy derrière sa fusée qui gagne dans l'après-midi.

Le poids de la technique est lourd. Maertens en deux ans s'effondre sous la charge. La leçon de Freddy n'est pas immédiatement suivie. Il y faut l'estomac.

Giuseppe Saronni, un petit Italien loucheur aux quadriceps saillants, se brûle en deux ans.

Sean Kelly, rustique à doubles courroies, est de la filière rurale, sorti des tourbes, allant sur les vitesses et volant les classiques, jamais souriant, mais amassant. Il repart vers l'Irlande, des liasses plein le ferry. Kelly est le dernier outsider. Il emballe seul, à ses dépens. Saisi d'une attention latérale et rotative, surveillant l'horizon, barbelant ses arrières, il n'est pas élégant, mais concentre en lui ce qui s'agite encore d'électricité naturelle et de voltages licites sous une casquette d'humain. Il regarde la route sans lunettes. Il ne porte pas de casque. Il garde le lien terrestre.

Après quoi, tout bascule dans le temps mutagène du sprint cipollinien.

Il s'appelle Mario. Il fait symbiose étrange des dents de Darrigade et du schéma par concaténation établi par Freddy. Mario Cipollini n'est pas une chair au moule flamand. C'est une musculature sèche. Un mètre quatre-vingt-neuf pour soixante-seize kilos. Play-boy de pizzeria, vantard gominé : il dit honorer les femmes au matin des compétitions. Quand il prend ses fonctions, à l'orée des années quatre-vingt-dix, il n'est pas ce tigre en Armani. Il prépare sa leçon.

Maertens prenait la roue du seul Demeyer. Mario se procure plusieurs identiques armoires qui lui meulent l'atmosphère. Des plus grands, plus larges et plus rouleurs que lui, Maciste des campagnes italiennes, qui mieux qu'une locomotive suivie de wagons forment un agrégat délirant de motrices enchaînées. Que les squadristes se mettent en branle, nul n'ose les remonter. Que Cipollini sorte du rang, nul n'ose le défier. Les sprinters sans escadre, les mercenaires balkanisés piratent entre les essieux, comme des *hobos*. Et dégagent d'un coup au cul, avant l'entrée en gare.

Cipollini propose un braquet de cinquante-quatre dents à l'avant et onze à l'arrière, qui clôt le débat. Il détruit le sprint que Maertens avait nié. Pendant dix ans, Cipollini gagne tout – au principe eugénique des quadruplettes et des quintuplettes héritées de Jarry. Groupies ou porte-flingues, Cipollini pioche dans le matériel humain. SuperMario assoit sa puissance sur des puissances corrélées.

Darrigade forçait le hasard. Mario supprime l'aléa. Il instaure une cinématique. Il sprinte à l'envers. Le premier n'est pas celui qui accélère le plus, mais celui qui ralentit le moins.

Douze étapes sur le Tour de France, quarante-deux sur le Tour d'Italie. Cipollini gagne un Milan-San Remo, un championnat du monde. On ne se souvient d'aucun de ses exploits. Mais de sa dentition. Cipollini est de l'âge du casque, des lunettes, des accoutrements cruels. Il vainc sous combinaison de Spiderman, sous tunique d'écorché vif, incisives dehors. Il martyrise Zabel, le dauphin de Kelly. Il est tout en frime, en avantages. Il a mauvais goût.

Mario Cipollini abandonne les Tours de France auxquels il s'inscrit; il s'esquive toujours avant les Champs-Élysées. C'est un voleur d'étapes, carencé en courage quand approchent les Alpes. D'agonie silencieuse sur le Galibier. Les marques de savon et de café inscrites sur son corps font un corset de syllabes pour l'éducation des enfants : il passe au ralenti. Mario met pied à terre. Il s'effondre sur les hauts lieux où Rik I, Rik II et Dédé se tenaient.

Les champions de vitesse sur piste, les hommes de la «vitesse pure» ne sont pas capables de ces sprints prolongés. Le sprint sur bitume s'autorise des protocoles nouveaux. Il prouve les meilleurs mélanges, quand l'endurance augmente, aux hautes intensités. Et nul ne s'offusque de rouleurs avalant trois kilomètres à plus de soixante-dix, ni de vitesses terminales de quatre-vingts. Moins qu'un pêle-mêle d'adroits et de casse-reins, le sprint nouveau n'est qu'une péréquation de débits sanguins et de puissances à maximité, une addition de génomes enchaînant et chevauchant, de pulsations cardiaques étagées jusqu'aux palpitations démentielles du bellâtre – avec sa gueule de liquidateur.

Cipollini est le célérifère de l'ère sanguine démocratisée. Il laisse le sceptre à un clone, Alessandro Petacchi – salarié par une autre marque de savon. Tous sprinters froids d'espèce machinique inféconde.

Je regrette Guimard aux genoux rompus et même le petit Rik III, leurs gueules d'électrocutés.

Perspective cavalière

En 1869, un premier duel oppose le cycliste au cheval, sur le long cours de Paris-Rouen. Toques et tuniques bariolées – c'est le temps où les coureurs sont habillés en jockeys. Les vélos portent les noms de chevaux.

Le 9 mars 1884, au vélodrome San Siro de Milan, le cavalier William Cody, dit Buffalo Bill, bat le pistard Romolo Bruni sur courte distance.

Il domine le jeune Costante Girardengo en 1911.

En 1953, le champion italien Gino Bartali double un cheval de course, couvrant le kilomètre en une forte minute.

En 1976, l'avant-bras plâtré, Freddy Maertens se laisse dépasser par Fakir du Vivier sur la cendrée du vélodrome d'Amiens : il espérait une prime pour la revanche.

L'année suivante, Francesco Moser s'impose au sprint sur un étalon italien.

En mars 1984, quelques jours après avoir amélioré le record de l'heure, Moser bat le trotteur Lanson en une minute treize secondes et vingt-sept centièmes.

La même année, en Mayenne, Marc Madiot défie le cheval Libogo et l'emporte en trois manches.

En 1995, Claudio Chiappucci laisse deux fois un pur-sang dans son dos.

En 2001, à Sint-Eloois-Winkel, près de Courtrai, le champion du village, Nico Mattan bat un cheval devant ses parents.

Le 11 novembre 2004, sur mille mètres, le trois fois champion du monde Oscar Freire devance le trotteur français Duc de Rietort, avant de s'incliner face à Ourasi.

*

Quand un cycliste bat un cheval au sprint, il venge cinq millénaires d'humaine lenteur.

L'homme fantasme l'équidé – sa vitesse et hautaine splendeur. Avant la fin du XIXe siècle, l'homme s'incorpore la puissance des mythologies. Dans l'enceinte des Six-Jours américains, le dopage apparaît. Les seringues passent de l'hippodrome aux vestiaires du vélodrome. Les lads présentent des chevaux à salivation abondante, à respiration et circulation accélérées, dont le système nerveux à vif s'observe bientôt chez les humanidés. Au début du XXe siècle, une commission révèle opium, morphine, héroïne, strychnine, brucine, vératine, digitaline, quinine et caféine dans les préparations réservées sans nuance aux coureurs et chevaux.

L'homme se contente mal de sa perfection mentale. La force physique demeure l'obsession. À supporter le régime dément du cheval, l'homme pense approcher le domaine sacré.

L'être humain se mesure au cheval comme principe transcendant ; après l'avoir déifié, après l'avoir dompté, il veut le supplanter. Avec l'invention du vélo, il prend le dessus.

Le cheval arrête son temps aux jours de la Grande Guerre. C'est la fin des trottoirs frangés de crottin. Les chevaux disparaissent des rues. Cheval du pauvre, le vélo est le véhicule des démocraties, l'étrange machine des Blancs – que les Bambaras du Mali surnomment *negue so*, le cheval de fer.

Disparu des boulevards, le cheval survit dans les pages du tiercé et sous les italiques de l'étymologie ; il désigne en sanskrit une forme de mouvement perpétuel – l'empreinte de la sagesse et de l'harmonie.

Dans *De Natura Rerum*, au livre quatrième, Lucrèce décrit l'étrange noce : « si le hasard rapproche l'image d'un cheval de celle d'un homme, elles se soudent sans peine aussitôt l'une à l'autre, [...] grâce à leur nature subtile et à leur tissu délié ».

Jarry a pensé le cyclisme naissant sous la lumière mythographique des centaures issus d'Ixion enchaîné à la roue. Les cyclistes sont les nouveaux assemblages : humains pour la part supérieure – équidés aux membres inférieurs.

Surpassant le cheval, les hommes du peuple montés en selle se découvrent des obligations de cavaliers. Ils deviennent les maîtres et ouvriers d'une petite révolution. Ils exploitent eux-mêmes leur force de trait. Ils ne fructifient plus pour un patron. Ils font à même droit les cochers et les percherons. À n'exploiter que son jarret, ne marquer d'autre cadence que celle de ses poumons, la question de la peine est éludée.

Paysans et travailleurs des villes accèdent aux harmoniques liquides du vélo; ils reviennent du bal à toute heure de la nuit. Le vélo est le gage de libertés simples; il suit le fil des collines moins péniblement que le char à bancs.

La découverte de l'allure.

L'effacement des fatigues.

Juchés sur leur force prolétaire, les cyclistes vibrionnent. Ils actionnent la sonnette, ils saluent les gens à pied avec de beaux dégagements de bras. Ils semblent plus faciles en société.

BRUITS

Cette rumeur de meute, l'ivresse des battues. L'homme échappé se maintient dans une carcère de son. Douleur vissée de la nuque aux reins, les cuisses du ventre jusqu'aux genoux font une forge de fers qu'on enchâsse. Un vacarme attise les douleurs. Des motos. Des autos. Des hélicos. Les moteurs donnent l'idée de poursuivants inflexibles jamais lassés.

Le fuyard perd sens et horizon. Il n'entend plus son souffle ni ses poumons frapper. Le fracas des suiveurs restitue la mesure antique d'une chasse. Un homme va seul, suivi d'épieux et de hennissements.

Il est la fureur.

Ils sont le bruit.

*

Les engins à tôle foncée derrière Coppi et Bartali se hissent parmi les roches de l'Izoard, à une distance de respect. Les engins font aux coureurs enfuis une traîne de vent. Sur cette marge de silence, Coppi et Bartali s'écoutent respirer. Ils entendent le poudroiement des boyaux contre la poussière, la souffrance des roues. Les nuages sifflent entre les pins. Par le tempo des membres inférieurs, les deux hommes décident le rythme des pièces métalliques copulant dans les graisses. Gino prend trente mètres d'avance. Fausto écoute sa chaîne plaindre, bercé par la cantilène des maillons.

*

Les lumières nocturnes augmentent les villes et la démesure du monde habité. Les premiers Bordeaux-Paris, les premières étapes du Tour de France laissaient des moustachus esseulés dans la nuit. Il fallait vaincre en affrontant le silence qui durait ses quinze et vingt heures d'affilée. Des échappés rebroussaient chemin en haut des cols, ayant cru percevoir le grognement d'un ours. On entendait la faux qu'on aiguise derrière la haie, le départ des merles lents.

*

À tout cycliste s'agrège un patrimoine sonore – son baluchon de bruits.

Le cliquetis des dérailleurs mal réglés.

Le crissement des graviers dans la descente du col.

Le coup d'archet du pneu sur le sol boueux.

Les insultes *mezza voce*, à quatre kilomètres de l'arrivée, quand le sprinter joue du coude pour grandir son logement.

Les bruits de chute.

La chute collective. Les métaux hurlant dans les épissures du mikado. Cris d'alerte. Cris longs. Puis les plaintes soutenues, quand la douleur remonte le système nerveux.

La chute solitaire. Le son matelassé du fossé herbeux. Le choc sourd, épaule contre goudron. L'impact net du guidon, suivi du frotté de pédale – un aigu rissolé.

La friction des casques sur le bitume, polystyrènes broyés.

La gueulante de Pierrot, toujours à l'arrière, qui réclame un bidon.

L'ensalivement obscène des boyaux sur le bitume mouillé.

L'arrachement ventousé du goudron de Provence.

Les coups de sifflet du motard devant le coureur échappé.

La houle du Parc des Princes, au souvenir de Néron.

La clameur du vélodrome de Roubaix.

Le sifflotis infradental de Pierrot, pour montrer qu'il est là.

Le flic-flac des pieds dans les chaussures inondées.

Le clappement dégradant du cuissard en eau.

La taxinomie des perçures qui poussent l'angoisse aux tempes.

La crevaison brusque. Soudaine bouffée hésitant grossièrement entre le rot et le pet – que prolonge le martèlement de la jante sur le matelas des gommes.

La crevaison lente. Râle perceptible quand la roue arrive à portée d'oreille, au point le plus haut de sa révolution. Voûté sur ses intérieurs, le coureur s'écarte – que la peur fige à écouter si près le souffle mourant.

La crevaison inaudible. Traîtreusement s'étend sur la durée de course et se signale d'un coup de pied au cul. Au passage d'un cassis, la jante lance un signal qui frappe au périnée.

L'effroyable crécelle publicitaire, en boucle, des montres Rodania – *Rodania, ta ta ta ta* – qui fait supplice aux échappées dans les courses belges, comme le supplice de la goutte dans les geôles franquistes.

Les cloches de villages, les carillons des kermesses le dimanche matin.

Le hurlement du vent dans la descente du Galibier.

L'écho humide des tunnels du Lautaret.

Les plaintes conjugales inexpliquées des vents marins et italiens sur la rampe du Ventoux.

Le fredon métallique pour qui gravit à pied, entouré des cigales.

Les vivats qui s'adressent à tous.

Les encouragements qui ne vous sont pas destinés.

Les noms hurlés par les jolies femmes, noms offerts à autrui et qu'on feint d'accepter, en n'y répondant pas.

*

J'aimais chez Hinault son instinct animal avant qu'il ne tourne en principe prussien de domination. Il avait en lui des lueurs, des peurs soudaines, des incendies. On voyait des aiguilles aller et venir de ses yeux. Au cœur de la chasse, dans le tumulte et la sauvagerie, Hinault maintenait une audition. Il préservait dans l'aguet le geste primal du chasseur. Hinault dans le civil parlait une langue rigide ; il convoyait des syllabes en bois de coudrier. Laissé aux remuements du monde, Hinault acceptait la primature du ciel. Il entretenait les éléments à la façon de Novalis et des romantiques allemands. Il démarquait les bruits perdus des petites symphonies, s'informant des tumultes. Il repérait sous le chaos motifs et mélodies, des répétitions où son ardeur vibrait ; dans sa rage à sévir se nourrissait de sons.

*

Un jour qu'il s'était mis en tête de gagner l'étape des Champs-Élysées, il se porta en avant des sprinters. Malgré les hurlements de la foule et du speaker, malgré l'écho multiplié des haut-parleurs et les colosses frayant son sillage, Hinault fit le clair dans son cerveau. Il demeura en tête sans se retourner. Jusqu'à ce qu'il perçoive le sifflement bref du boyau des sprinters à l'instant de la curée. Hinault lança son sprint dans la même seconde, balayant l'espoir des maîtres de vitesse, trahis par un crissement.

Lors du championnat du monde de Sallanches, la côte de Domancy faisait laminoir, épuisant les hommes. Il ne s'en trouva plus qu'un à résister, le ténébreux Giambattista Baronchelli. Caché dans la roue du Breton, il ne relayait plus. Les deux échappés allaient seuls, en danseuse, accrochés à la côte, seuls et silencieux. Baronchelli ne décrochait pas. Hinault l'ignorait, ne le regardant pas, l'écoutant respirer et grincer dans son dos. Hinault fermait les yeux. La foule hurlait son nom, dans l'espoir du sacre imminent. En fin d'ascension, le Français nota au décours du virage le plus pentu que l'Italien changeait de braquet, au même instant que lui, s'écroulant sur la selle.

Le boyau produit sur le bitume un son différent selon que l'on grimpe assis ou en danseuse, à l'arraché. La chaîne fait un bruit particulier selon qu'elle accroche le pignon supérieur ou chute sur la couronne du dessous. Ce sont de faibles bruits. Quand vint le dernier tour, la dernière ascension, Baronchelli dans le même virage fit sauter sa chaîne sur le même pignon, s'affaissant sur la selle, pour la dernière fois. Hinault malgré les cris entendit le claquement, demeura en danseuse et partit d'un trait.

Lors de son retour à la lumière, fin 1984, Hinault venait de vaincre contre la montre au Grand Prix des Nations, puis au Trophée Baracchi. Il fermait la porte sur deux années sombres. Il ne voulait plus se retourner. Il se trouva en tête de l'ultime classique de la saison, le Tour de Lombardie. Le seul Van der Poel, exsangue et chevelu, tenait dans son sillage. Hinault ne s'abaissa pas à se pencher vers lui, comme il est d'usage, afin de juger la fatigue sur les yeux ou l'anarchie des genoux qui signe l'homme rompu. Le directeur de course produisait ses sirènes. Les Italiens criaient son nom. Hinault regardait loin, dents visibles, sourcils bas. Il scrutait l'horizon en sondant ses arrières. Les chiens flairent le cerf contre le vent, dans une rétroversion auditive qui est le prélude du sang. Hinault se réglait à l'aveugle au pouls de Van der Poel, à l'affolement des poumons chiffrant les pulsations – affolant la douleur selon sa pédalée. Le Hollandais laissa passer une plainte, puis la balbutie du chat qu'on noie ; sa poitrine chantait. Hinault continua sans se retourner ; il allait vers Milan, maître de ses silences, ayant noyé sa proie.

*

Les coureurs sont isolés du monde par un artifice de bruits qui découragent le vent. On n'entend plus les animaux, ni le murmure des bois. C'est un autisme particulier que cette course à travers monde qui se retranche sur soi. L'usage des lunettes sombres, l'application des oreillettes sur le lobe auditif soustraient l'homme aux éléments. Le cyclisme ne paie plus sa dette à la nature. Le cyclisme se laisse admirer comme principe immanent, réalité séparée.

L'oxygène ne vient plus du ciel, les cyclistes le portent en eux. Ils ont absorbé le monde et ses principes, physique, chimie et filtrations. Les sels minéraux ne viennent plus d'une pinte ou d'un goulot offert au bord du chemin, d'une pomme flétrie, dévorée dans la fringale, avant l'écroulement. Le coureur porte son fer, son potassium, ses sels avec lui. La nature ni les applaudissements ne lui sont d'aucune aide. C'est une autarcie particulière que de s'incorporer le monde pour ne plus le défier, ne plus l'affronter.

Le mépris des bruits particuliers procède de la négation généralisée.

On végète à part soi.

On ne s'entend plus.

Mystère des écritures

La sociologie dévore les cultures. Il n'est pas de champ nouveau qui ne subisse l'arpentage des socio-métries. Aux premières poussées du végétal jaillissent les sociologues en nuée, les historiens du rien, les doryphores du fait. La sève jeune appelle la sucée des sondeurs et des statisticiens. Toute forme naissante vit sous le risque d'une manducation.

Les arts populaires dans la chrysalide attirent les pédants. C'est un fait constaté depuis le début de siècle. Les inventions des dominés animent la bouche des dominants. Le jazz né de l'ornière s'encombre de verbeux. Le cinéma s'obscurcit de mots. Les arts pop génèrent des enseigneurs aussi mécaniquement que les arts de vieux rang.

Les sociologues ont ensalivé les faits culturels infimes, tout inséminé. Ils n'ont pas mis l'amidon sur l'épiderme des pédaleurs. L'occasion était belle : le Tour de France est un sujet plein, un bocal splen-dide pour l'anthropologue et le métreur de castes. La langue des sociologies est faible, heureusement. On ne peut dire Coppi dans la schématique des structu-raux ; ni proposer Anquetil aux industries lourdes de Bourdieu. L'*habitus* de la grâce est insusceptible de reproduction.

251

Le discours médian des sociologues issus du mi-chemin et pensant moyennement pour la classe moyenne dont ils sont issus, cette écriture nauséeuse médiane des demi-penseurs et demi-écrivains, ces discours de fourmis n'ont pas accès aux vérités fortes du vélo. Le cyclisme hésite entre les dires puissants de la poésie et de la philosophie primitive. Il accepte Chany, il accepte Vico. Le cyclisme est le tropique des paroxysmes. Il meurt à l'Équateur tiède ; l'entre-deux le détruit.

Derrière le foirail éprouvant du folklore, la cara-vane en délire et les écussons de l'équipée folle coloriée par Dubout, le cyclisme est l'envers d'une convention et d'une institution – c'est le lieu convenu, désuet, d'une tératologie : s'y déploient des surnatures, des exemplaires humains.

Le cyclisme n'est corvéable que d'une théorie, celle des exceptions. Les champions cyclistes ne relèvent pas du déterminisme weberien ; ce sont des hommes de décision. Le football est au soutien des pensées massifiées ; les marxiens et les fascistes approchent le stade avec délice ; l'État total veut des violences légales inscrites aux calendriers.

Les situationnistes n'ont pas mentionné les bizarres du vélo. Les penseurs de la dérive n'ont pas jugé ces parias comme les modèles fabuleux du spectacle et de l'aliénation. Les cyclistes ne formaient pas le *lumpen* adéquat. C'eût été pour Debord un morceau de qualité : le cyclisme comme spectacle en farce, les hommes-sandwiches en portefaix du patronat et des sous-cultures médiatiques – cette rotation spéculaire de capitaux et de capitans.

Les pédalins cantonnent au nulle part.

Les sociologues ni les situs n'ont énoncé l'univers des aristocrates à guidon courbé. Ni les chantourneurs prolétariens. Les écrivains de gauche ont frôlé le sujet. Céline aurait fait apothéose ; il a cité le géant Faber dans *Mort à crédit*, c'est tout.

Les angoisseurs de science-fiction n'ont pas relevé. James Graham Ballard et les cyberpunks auraient pu aduler le *destroy* terrifiant des spécieux du vélo, ces maximalistes de la drogue et de la défonce. Le cyclisme a sa place dans les proses d'anticipation et les hallucinations de Burroughs. Une heure chez le pire soigneur est plus édifiante qu'un week-end chez Cronenberg. Les cyclistes assistés des méphistos et des laborantins modifient leurs organes sans le tapage d'un vernissage. Ils agitent leurs sangs ; ils retournent leurs peaux plus discrètement que les actionnistes viennois et les artistes de la violence sur soi. Ils égalent les artistes autoscalpélisés comme Orlan. Ils devraient être vénérés par les théoriciens de la transgression – au lieu de quoi sont traqués comme des malfrats. Leurs corps sont plus recomposés que les hybrides de Matthew Barney. Les plus exagérés coursiers sont les artistes du temps nouveau ; la génétique essaie sur eux. Les dopés téméraires se travaillent en férocité mieux que les cyborgs et les androïdes des films à gros budget.

Les cyclistes des derniers printemps ont une génération d'avance sur les techniques du trans-humain. Ils ne font pas la couverture de *Science et Vie* ni de *Technikart*. Il n'y a pas d'Armstrong en plan de coupe dans la revue *Nature*.

Les gonzos journalistes et les freaks de la chronique supérieure n'y ont pas mis le stylo. La contre-culture craint le siphon des sous-cultures. Les champions fluorés encaissent des doses dix fois supérieures aux *guitar heroes;* ils méritent respect. C'était un devoir de vacances pour les gonzos français. Les Américains ont eu Norman Mailer pour dire génialement le génie d'Ali. Greil Marcus et Lester Bangs ont dit l'apocalypse rock et la féerie des Fender, sur le bris des révoltes. Les épigones français sont de troisième dilution, accrus de vanités. C'est un étrange oubli : les lunettes carrées de la critique rock n'ont pas daigné herboriser sur Paris-Roubaix, ni mythographier le taillis folklo né du sol français. Le cyclisme n'a eu ni les penseurs ni les modistes qu'il méritait, c'est tant pis.

S'il avait vécu longtemps, Walter Benjamin aurait pris le fatras au corps, comme il prit Baudelaire à cru dans son dandysme de prostitution – comme il obligea le langage des choses et des réverbères, les signaux de rues. Il aurait fallu un poète et un méta-physicien – il aurait fallu Benjamin pour délier Coppi des brumes messianiques à bon marché. Il aurait dit ces fantômes venus des berges d'un autre temps, le cycle des réprouvés. Il aurait collé les fragments. Rejeté des universitaires et des sociomanes, Benjamin n'aurait pas fait histoire, mais dévoilé la constellation des douleurs. Il aurait dit l'héroïsme – hiéroglyphe et regret d'une langue fondée. J'imagine ce flâneur lourd dans le matin d'une étape des Alpes : cette folie de l'élévation, ces parodies christiques, cette frénésie sur les lèvres d'un siècle de feu. Il aurait lié le fagot – par la généalogie des souffrances, la remémoration des sacrifiés.

«Tant qu'il y aura des mendiants, il y aura de la mythologie.»

Coppi fut l'avatar d'un dieu sur les décombres du nihilisme guerrier. Walter Benjamin meurt le 26 septembre 1940, allant à pied sur les Pyrénées. Coppi vient de battre le record de l'heure sous les bombes, au Vigorelli de Milan. Ils ne se voient pas.

Le cyclisme est demeuré dans l'apprêt du début, comme une poire cachetée; il garde les tavelures d'origine, le fruit n'a pas molli. Le verger d'Henri Desgranges, les boutures de Barrès ont passé les saisons. Le cyclisme était un art du chemin, un poème gitan; je me suis toujours étonné qu'il n'ait attiré à l'écrire que les carnes hussardes, les lyriques droitiers. C'est qu'ils venaient là en récréation, gardant leurs pires au retrait, pour l'enfumage des académies.

Le cyclisme a survécu dans les proses de couleur, allant à la cocarde, allant au Front popu, flânant à deux idées. Il s'y pratiquait un français non pollué, hors du temps, fiancé aux tournures acides de l'usine et du champ – un parler suspendu : la sous-parlure télévisuelle l'a dénaturé. Les journaux sportifs acquiesçant cette dénaturation nourrissent leurs lecteurs de proses diminuées : ils parlent la langue vitrifiée linéaire des télévisions. Ce sont de fervents adeptes de la bloomisation – la réduction de l'humain à sa gastricité.

Le Tour de France comme artefact et pur spectacle d'un pays éventé, lui-même décédé, est maintenu debout – entre mers et montagnes – dans ses anachronies. Le cyclisme est absorbé dans la tautologie panoptique, se préconisant des valeurs du sol et de l'enracinement. Toute personne en appelant au cyclisme comme patrimoine, comme valeur immanente, parachève le processus de sa destruction.

Bernard Hinault

J'ai oublié son visage. Dans la cour du collège, un garçon décrit la scène entrevue la veille à la télévision. C'est une scène d'effroi.

Je cherche les paroles d'un adolescent de quinze ans. Il dit le retour à la vie d'un homme basculé au néant. Sous les pans bleus d'un collège en papier conçu pour l'inflammation; sous le ciel d'été d'une ville nouvelle prête à brûler, j'écoute le récit d'une chute et d'une relève.

Un homme vite descendu des montagnes sombre dessus le parapet. Un homme chute au ravin et disparaît derrière un muret. On voit une main s'élevant, on voit un visage. La main gantée accroche la main nue du mécanicien, et le buste apparaît : l'homme remonte sur le vélo.

C'est une scène miraculaire passée aux informations.

J'ai oublié par quels épisodes le lycéen a poussé l'histoire vers son dénouement. Dénouement que les livres ont raconté depuis, que j'ai découvert vingt ans après dans le tremblement d'une vidéo. Un homme en jaune dans le clair de l'âge se devine champion; il ignore comme le destin se noue et la fatalité vient à lui dans un mime de mort et de résurrection.

Ressuscité du ravin, Bernard Hinault emplit le cadre de la télévision. Il repart, le front taché de sang, il approche Grenoble et ses escarpements. Sur la forte pente, un froid mortuaire prend les cervicales ; l'étreint comme le contre-écho d'une force néfaste. La chute après coup le saisit. Il met pied à terre. La douleur vient en lui des branchages et des troncs heurtés. Apeuré à tout perdre et mourir et gagner, il tremble sous le bois.

La foule l'acclame, ayant appris des ondes son retour à la vie. Le mécano approche ses doigts, frappant le buste, la nuque et les reins ; il relance d'un choc les organes transis. Le mécano ordonne et oblige à marcher. L'homme répète la leçon de vie. Il murmure son nom à l'appel du Jugement – je m'appelle Hinault. Il reprend sa leçon d'humain par le début. Mieux sûr de son nom, il rassemble ses parts. Hinault marche. Le corps reprend mouvement. Hinault remonte sur le vélo et Hinault disparaît dans l'épaisseur du mont.

La voix dans le transistor et la voix sous le préau du collège de Sarcelles finissent l'histoire du jeune homme qu'on ne voit pas : il avance vers la victoire, entre rêve et cauchemar, posé sur un corps sectionné de l'esprit.

Hinault vient au monde sur une violence. C'est une initiation venue de l'ancien sol. Les montagnes du Grenoblois sont le Bois sacré où s'exprime le *fatum* du forgeron – l'Héphaïstos brutal venu du sol breton.

J'ai du mal à parler d'Hinault que j'ai tant admiré ; en lui se résume une époque faible. L'épisode liminaire est du fonds héroïque, après quoi Hinault se résout dans les limites désolantes du contemporain. Sa force supérieure se donne à lire sous la fin de Giscard et le début de Mitterrand.

Assomption de la classe moyenne. Et l'argent souverain.

Giscard se donne un air peuple, Mitterrand fait le gauche ; les deux présidents transmuent la question du peuple en émanation. Ils rêvent la fusion des marges dans la classe médiane indistincte – classe du tout confort et des bibeloteurs. Ils laissent descendre la queue du Mickey – réformes soft, prises péritel et les enjoliveurs. Ils font de l'argent une féerie – les cartes retournées glissent sur le carton du bonneteau. L'essentiel est caché des luttes et des destinées. La France passe sous le blush. Nul ne veut révolutionner ni patronner, juste passer le faux Smalto et sucer le Nestlé des publicités.

C'est la décennie du turbo. L'augmentation magique des petites cylindrées. La classe moyenne s'imagine des chevaux-vapeur à profusion. Étayé d'un turbo, le quatre cylindres fait un pétard de Double-Six ; le turbo diesel assure une prestance au prix de gros.

Guimard fait construire à Hinault un vélo profilé. Déguisé en lame, habillé en goutte d'eau, le coureur accroît son effusion. On ajoute des spoilers aux autos, des becquets ; il faut entrer dans le vent, aller d'une classe à l'autre, dans un passement d'air. La moindre berline fait illusion de rallye. Chacun veut sa tondeuse avec un bruit de Jaguar. Le blaireau exige, le blaireau dispose ; n'exige pas les armoiries, comme les frères Pélissier, mais une décalcomanie Grand Tourisme et les signaux fluorés de l'injection.

Hinault se laisse appeler blaireau, croyant porter le gène vengeur animal : il porte l'instinct jaloux d'une classe débordant de partout, qui revendique l'avantage sans payer le prix. Hinault s'installe dans le malentendu. Blaireau de l'étymologie, il laisse venir à lui les blaireaux recrudescents, ceux de la statistique.

L'homme de la classe moyenne où je suis né refuse vices et vertus. Les mérites supérieurs, les dons divins lui font insulte, comme ils insultent le plan de répartition de la sécu. Idéal standard, égalitarisme de mauvais aloi. Quoi penser de cette exigence, puissance et vitesse, quand la force de vie s'épuise dans la bagnole et la tondeuse autotractée ?

L'énorme tiers état veut splendeur et aisance sans bouger son train. Le turbo exauce une moitié de ses vœux ; les rites de l'électroménager satisfont la seconde. L'homme moyen insulte qui le double en auto ; il se reconnaît dans les justices expéditives d'Hinault qui déploie en course un code punitif venu d'on ne sait où. Hinault sort l'exploit de ses tripes comme on extirpe le nerf de bœuf de la boîte à gants.

Hinault n'est pas de racine prolétaire classique. Il vient d'un milieu modeste, mais il n'aime pas les mots.

Le peuple à l'ancien moule est une grande bouche ; c'est une langue, un stock de mots catapultés pour faire mal et moquer. Cette façon de dire exige un entraînement spécialement amoureux ; n'insulte pas qui veut. Le popu était beau dans l'art d'expectorer ; l'outrage au bec à bec était un art de rue. Hinault n'est pas homme de gouaille, mais homme à mieux répliquer d'un taquet, à s'exprimer d'une mandale. Il adule la justice muette comme principe de tout.

Il refuse l'idée d'un passé et l'antiquaille des récits, il dénie la littérature attachée au cyclisme. Le simple journalisme est déjà de trop.

Hinault ne parle pas.

Il advient au soir du verbe à sa décrue. Les initiales du fondateur Henri Desgrange sont décousues du maillot jaune. Blondin s'en va. Chany n'est que toléré, qui se défie du faux ; son papier rétrécit. C'est la fin du cyclisme comme écriture. Sous le règne de Bernard Hinault, la télévision augmente sa destruction. Hinault aime l'évidence de l'écran. Hinault rêve une vie abolie dans l'instant présent. Ni légendes ni rêves, mais la perpétuité d'exploits renouvelés dans la simple immanence : je suis ce que je suis, je fais ce que je fais. Hinault resplendit à l'état de tautologie.

Un justicier muet.

Il veut être le patron, c'est son truc. Il mouche les contrevenants et les petits malins qui déconnent sur la chaîne numéro trois. Il tient ses ouvriers. Hinault dans ses beaux après-midi fout son poing à la tronche des grévistes qui arrêtent la course, licenciement mon cul, j'ai le maillot à mouiller.

Les Pélissier se voulaient libres et princiers ; ils cherchaient à s'affranchir, non soumettre des franchisés. En Hinault affleure l'inédit d'une gouvernance. Ni palabres ni parlements. Les marques parlent pour lui. Son employeur est la Régie Renault, inventeur du turbo.

C'est la fin des maillots de laine et de coton. Hinault traverse la France sous le lycra moulant, le front barré d'un bandeau éponge mal seyant ; il porte le même au poignet. On ne voit plus son beau front ni sa tignasse de chouan. C'est le moment choisi par les publicitaires pour panneauter le buste et le plat de cuisse, aussi l'espace résiduel du visage toujours cadré par la télévision.

Hinault ne dit rien.

Il aime l'action de force, ses victoires s'étaient moins de ruse et de tactique que du moment où la vengeance jaillit des roues. C'est un convulsif – un congestif. Le beauf connaît cette rage perdue ; il ne veut pas s'en laisser conter, toujours craignant d'être dupe, ayant sous lui vingt générations blousées. Le blaireau ne sort pas du souterrain vers la lumière, mais vers la vengeance. La punition est son feu.

Hinault est le ressentiment.

L'excès de force pousse loin du but ; toujours Hinault passe la borne ; sa force débonde, la hargne montre sa source. Qu'il outrepasse l'exigence moyenne, Hinault clôt le malentendu attaché au surnom de blaireau : il devient grandiose. Il vainc à l'antique façon. Mais il n'en faut rien dire. Il faut observer en silence l'animal fabuleux qui sort du terrier et oublie d'y rentrer. Qu'Hinault dépasse toute idée de justice, laisse au panier la juridiction des teignes, sa grandeur se fait jour. Une grandeur qu'il n'exprime pas. Des actions légendaires qu'il ne légende pas.

Je viens de ce temps où ses anciens comme les miens, issus des mêmes métiers, métayers et poseurs de rails, abordent la classe intermédiaire par le portillon du bas. Je viens de la classe moyenne dans sa frange inférieure. Hinault est le commandeur de ces mondes-là. De nos années de rage, d'envie et de court-circuit.

Je lis ses découragements, je vois les renversements. Fournaise du désespoir et la pure énergie.

Une rage à dire le peu. Mais un rien vital. Une force brute. Hinault vient au jour dans les saisons du punk, adepte d'un *Raw Power* hérité des chardons. Refus des vieux papiers. Dégoût des épopées. Hinault fait table rase avant la prolifération des Castorama.

Quand il arrive dans le peloton, après l'élection de Giscard, Hinault dénie toute supériorité. Il défie Merckx et les cadors en place : ils moquent en cénacle et ne saluent pas. Hinault plante ses molaires dans les vieilles cuisses engrenées en mafias. Son sens de la justice est trop aiguisé pour ces jambes émerisées par le rasage fréquent. Hinault abat les maçonneries humiliant le talent et protectrices des médiocres. Il remet dans l'arène les cœurs dormants ; il arrache le ruban des hiérarchies. Hinault dans ses vingt-trois ans arrive en chien fou, écervelé des Côtes-d'Armor – la bruyère dans les yeux.

Au début de l'année 1977, Eddy Merckx glisse à son terme. Hinault gagne Gand-Wevelgem, la première course de l'année. Il est vilain sur le vélo, comme mal réveillé de la conception, les membres englués au placenta. En place de baptême, il reçoit l'eau de vaisselle des journaux flamands : «Au royaume des aveugles, le borgne est roi.» Le dimanche suivant, les meilleurs sont là. Hinault serre le mors, il se confirme sur Liège-Bastogne-Liège. L'instinct frappeur apparaît ; il faut le dompter. C'est Guimard son mentor, caché dans la foule près de l'arrivée, qui hurle l'endroit où il doit démarrer. Hinault enlève ses peaux. Il arrive en mai sur le Dauphiné. Sa force apparaît dans l'épreuve de la chute et de l'élévation. Il sort du ravin. Les entrailles de la vallée accouchent d'un garçon.

Hinault est entouré d'équipiers aux proportions modestes, des garçons arrivés des campagnes comme lui, les Chassang, les Berland, les Arbes ; une armée levée à la diable pour pousser le jeunot à la face du monde. Tous ont appris la vie par des travaux de peine. N'ont jamais pénétré les tièdes alvéoles du tertiaire. Cyrille Guimard est à la gouverne, une parole supérieure, une boule de volonté. Il a cerveau sur tout. Fils de maçon, ajusteur comme Hinault, Guimard a trimé aux chantiers navals de Saint-Nazaire ; il a vu le volcan de près. Passé professionnel à vingt ans chez Mercier, il quitte la profession avant trente, un genou meulé. Le corps indestructible d'Hinault est l'instrument de sa rédemption ; les silences du champion font la matière de ses strophes sophistiquées.

En quelques saisons, Hinault et le petit Cyrille empochent tout. Grands Tours, grandes classiques, championnat du monde. Hinault égale les aînés. Il s'étend sur l'Europe. Il dédaigne les ambassades, il saisit les territoires où tombent ses yeux. Sa puissance terrorise, son intelligence épouse le système supérieur de l'araignée. Hinault n'attend plus de main tendue dessus le parapet, il passe les plaines d'Espagne et d'Italie. Il fait son ravage au mépris des traités et des pactions, sans réclamer de signatures.

Guimard sait la stratégie et le métier, ses finesses cruelles ; il offre à Hinault un siècle de savoirs cumulés ; il balaie les approximations, s'augmente de mots savants. Guimard met en fiches la cylindrée de ses coureurs, de leurs chimies fait un répertoire. Il définit la position en machine ; il recrée ses garçons dans une soufflerie et dessine des vélos agiles sous le vent. Sur le bristol de Guimard est souligné en rouge la VO2 max d'Hinault – sa capacité à voler l'oxygène terrestre atteint le chiffre de quatre-vingt-dix-sept. Hinault d'Yffiniac, petit bourg breton, est le plus gros moteur de la fin de siècle. Fémurs très longs sur les tibias modestes, Hinault présente un quotient supérieur à Merckx et Coppi. Un levier démentiel à soulever les blocs des pharaons. Sa force lombaire est d'un arracheur de souches.

Force pure. Positivisme. L'alliance de Cyrille Guimard et Bernard Hinault dissout le noir et le blanc sur l'échiquier. Hinault sous le drapeau du petit Cyrille écrase les courses contre le chronomètre ; il contient les grimpeurs comme Anquetil faisait, mais il n'a pas la grâce. Hinault est le plus beau visage, le plus heureux sourire, mais l'élégance n'est pas son fait. Hinault rappelle l'être à sa gravité native – c'est un leveur de roche, l'enfant des pierres dressées. Il y a dans son coup de pédale le rebond d'enclume du forgeron. Hinault conserve de Jacques Anquetil la nature calculatrice et de Merckx le pire – l'obsession de régence, le manque de pitié.

Hinault institue les fondements d'une haltérophilie.

Il succède froidement à Merckx, ce scrabble vivant dont le nom titre à cinq consonnes. Hinault ne veut pas de complications, ni de victoires difficiles à énoncer. Hinault expose sa puissance en place publique, sa cuirasse de discobole. Ses courses montrent moins un élan que le développement algébrique d'une force, l'application en plein air d'un droit. Travaux tous herculéens, justices toutes définitives. Artiste forain sur le parvis, Hinault entame un règne, le mixte de

Saint Louis et de Rigoulot. Il n'est pas comme Merckx avide d'un palmarès tentaculaire. Il s'entraîne peu. Il ne chérit pas la victoire pour elle-même, mais pour ce qu'elle certifie de soumission. Il a l'humeur à la chicotte et le cœur à l'écoute de ce qui faiblit dans l'autre.

Son sang rit quand sonne l'hallali. Hinault est le premier grand champion à mentalité de punisseur, dont la grandeur s'aliène à la mort d'autrui. Je donne les mots de Madame de Noailles :

> *La paix qui m'envahit*
> *Quand c'est vous qui souffrez.*

Hinault est l'ombre sortie du bois. Le Grand Forestier de Jünger. Venu d'un biotope de vouivre et de marais. Suivant les injonctions du corps, les obligations du soma. Circuitant entre les chemins de croix. Une pédalée de marteleur, bûcheronnant et sciant de long. Hinault est plus que français – le Gaulois majuscule ; il arrive du socle armorique par une ligne droite, porté par le vent d'Ouessant. Un Cadoudal enfui vers les pays sans iode. Hinault vient du monde pas facile de la mer et des casquettes sous le vent. Rapide à se saisir des coquillages au retrait de la marée. Hinault arrive du tertre préceltique, en Citroën BX Gti, par la quatre voies. Il est l'exemplaire gallo-franc le plus apte à confirmer le génome du lieu. « Court et trapu comme un franc Breton », au décret de Mac Orlan.

Hinault sort des genêts et des vagues jaune acide des joncs. Déboulant du bocage entre les maillots fleurdelisés. Accédant à vingt ans au Parnasse des taureaux, il reçoit la tresse païenne des dévotions. Il dit l'histoire d'un garçon qui ne pénètre pas les églises de granite, mais prie l'ombre de l'Ankou pour se débarrasser d'un ennemi. Une gangue de muscles. Une pelote de haine. Comme Liabeuf, l'anarchiste hérissé de manchons de clous, Hinault ne veut pas de main sur sa peau. Il promet de glisser un gilet de punaises sous sa tenue; il en a marre des tapes dans le dos.

Hinault ne vient ni de Bretagne ni d'Armor, mais de la Paganie dont entretiennent les historiens. La Paganie, le pays des païens, registré au Littré – cette «région de la côte septentrionale du Finistère dont la population s'est conservée à l'état fermé, ignorant le reste du monde et à peu près ignorée de lui». Né avant Jésus et mort après, Strabon le géographe a fixé la vision que les Romains se faisaient des Celtes : «Toute la race appelée aujourd'hui gallique ou galatique a la manie de la guerre; elle est irascible, prompte à la bataille, au demeurant simple et sans malice.»

Hinault ne montre ni morgue ni vanité, mais un orgueil aux extrêmes de la densité – une conception druidique de la balance. Sa violence sourde est la sanction de fautes tombées dans l'oubli. Les druides savaient l'écriture, mais refusaient de figer la doctrine, au risque de la tuer.

Hinault aime la Bretagne dans le moment ingrat. Il aime se terrer devant un feu et faire du lard à la morte-saison. Quand il n'y a plus d'humains ni de bêtes à piéger, que l'arme est serrée sous l'âtre, Hinault s'exerce à fendre du bois. Il aime voir détaler le lièvre et s'élever un vol de perdreaux.

On veut le comparer à Louison Bobet, cet autre Breton. L'un joue le notable, atteint de thermalisme; l'autre revient toujours aux arbres et à la cognée, peu soucieux de l'argent. Hinault à son honneur n'a jamais mimé le bourgeois ; il va dans le froid sous une combinaison agricole à verticales zippées.

Que les beaux jours reviennent, on le prie de lâcher l'os. Il ne goûte plus la soirée et son bol de cidre, qu'ayant commis le jour quelque dévastation. Solide dans sa science et jamais rassasié. Signant des sauf-conduits, prévoyant les émeutes ; laissant aux natures du dessous quelques victoires à braconner dans le ventre mou de l'année. Hinault n'est plus le flâneur des landes. L'instinct chasseur vient sur lui.

Hinault ne réclame pas de battue. Il va à la victoire sans suppléants, sur une somme d'affronts jamais lavés. Enfiévré à punir, ce n'est plus qu'une trombe – un *circulus* de pulsions attentant au même point. N'étant pas d'humeur à mitiger, il suit l'idée fixe et déchiquette la proie. Naissant de l'outrage vrai ou supposé, se suscitant d'une vexation. Sait-on sur quel bord il penche ? Mettant le feu aux cahiers de doléances. Allant aux lueurs de Thermidor, un goût de cendre dans la bouche. Il n'a pas le velours des radicaux valoisiens. De race rancunière, il attend le knock-out et la remise des boucliers.

Hinault ne varie pas. Il montre un entêtement proche du grès. La course sous ses verrous paraît longue. Quelques Tours de France semblent interminables. Hinault laisse la longe sur un peloton atténué. Courtois au quotidien, tyrannique dans la fonction. Invisible au civil, étincelant sous le maillot. Le soir dépiautant *Ça m'intéresse* ou *Géo,* l'après-midi récitant son Iliade perso.

Hinault laisse sous lui des corps sans vie. La liste doit être établie d'adversaires interdits de survivre en vaincus – sommés de disparaître. Hinault ne fit pas de mal à son premier opposant, le vieux Zoetemelk ; second de Merckx, il montra la même modestie à demeurer le second du Breton. D'autres survinrent, des pleins d'ardeur, dont la sève se figea à moitié du tronc. Phil Anderson, l'Australien, et Jean-René Bernaudeau, fantassin passé à la concurrence. Désignés ennemis et soumis tels. Des champions dans la fleur de l'âge. Tous deux balayés en un Tour de France, en une étape, au détour d'un virage, sur cent mètres d'asphalte. Selon un code muet établi entre coureurs et connus d'eux seuls, Bernard Hinault ordonna sur eux un séisme. Il libéra des puissances d'anéantissement – titanisant avant de tétaniser.

Hinault partit en Espagne. Un nommé Gorospe crut le piéger dans les montagnes compliquées de son pays. En une seule accélération, Hinault le laissa pour mort. Haussant la vapeur sur un faux plat, au mode diatonique destructeur. Mâchoires closes, les éclairs dans les yeux, Hinault ne mettait qu'une balle dans le barillet. L'Italien Contini connut la même fin, chez lui, devant ses parents. Hinault enleva les ailes du petit grimpeur colombien Lucho Herrera sans que sa cruauté s'avouât satisfaite.

Le *Godfather* d'Armor buta sur LeMond et Fignon, plus difficiles à liquider.

Quand il ne trouvait plus de corps où enfoncer sa violence, Hinault tournait la douleur sur soi dans des proportions interdites par l'*ecclesia*. Oubliant le métal qui lamine et perce la cuisse. Sur un Tour d'Espagne, vers Ségovie, s'effrayant d'Espagnols velus aux yeux, Hinault laissa grossir son genou bleu. Il allait à la victoire avec les ligaments rompus. Puisant dans l'inévaluable des forces où gît la tendinite, incarnant l'exigence de prendre sur soi.

Les yeux à fleur de tête, tenant un hurlement.

Hinault garde une phalange gelée d'un Liège-Bastogne-Liège gagné seul sous la neige ; ayant tous abandonné, ses adversaires auscultèrent sa folie devant la télévision.

Il arracha un Paris-Roubaix, couvert de boue, ayant chuté plusieurs fois. Il désirait ce qui coûte vraiment. L'idée ne lui serait pas venue d'aller réclamer un Tour des Flandres rue des Morillons.

Toujours payer pour voir. Toujours le dernier debout. Brûlant sur place des quantités de magnésium, Hinault ne dormait pas. Ayant épuisé le combustible humain, il consumait sa haine. De telles exagérations n'avaient jamais percé chez un champion. Il aurait fallu isoler chez lui la zone corticale de l'attaque, l'aire mentale de la férocité, les inexistantes synapses de la soumission.

À plein moteur dans la nuit il frôlait les glissières de sécurité.

J'ai découvert Hinault au début des années Mitterrand. Je traversais des fêtes villageoises. J'allais voir Hinault dans les critériums bretons. Tamponneuses et les peintures sur bois de Johnny et Sylvie Vartan. Hinault traversait le bourg pendant une seconde, puis plus rien – mes yeux revenaient dans l'acrylique des majorettes. Je commençais d'écrire : de petits papiers sur de petites courses. Il fallait se concentrer parmi d'autres reporters, des Bretons, parfois des Belges et des Italiens. Nous étions acheminés dans des gymnases, des cantines. Je creusais le brouhaha et la brume des clopes. J'écrivais sur Hinault sous les affiches du syndicat d'initiative. J'aurais voulu graver ma stèle peinard. Il fallait homériser dans la salle polyvalente.

J'appris le clavier dans l'hiver où Hinault apprenait sa nouvelle vie. Il allait entouré des équipiers de deuxième génération, celle de la classe moyenne authentique et du pavillonnaire. Les petits équipiers des débuts avaient pris le chemin des prés. Hinault faisait le *pater* à une tablée de gamins allaités aux allocutions de Pompidou. Tous d'un jour tiède au pain blanc, n'ayant pas connu les réfectoires sans calorifère. Tous plus ou moins d'une communauté advenue à la moquette, oublieuse des parquets dont le bois craque la nuit. Des ironiques, incompréhensibles à Hinault : ils ne voulaient se venger de rien.

Hinault se trouvait secondé d'enfants aux mains douces, ses adversaires étaient de la même couvée. À leur tête allait Fignon Laurent, ronchonneur double compression. Passé de la troupe du Breton à l'avant-garde des opposants. Fignon avait un orgueil, mais n'aimait pas la vie. Il fit un palmarès et continua de vivre, sans sujet de conversation. Il filait la pompe, déprimant soi et l'autre. Il moqua Hinault blessé et sublime à ne pas sombrer. Il voulait faire son intéressant.

Quand je viens frapper à la porte de *L'Équipe*, dans l'hiver 84, je viens venger mon Hinault de Laurent Fignon. À l'inverse du Parisien, jamais sûr de sa dimension, Hinault ne connaissait pas le tourment de l'identité. Il n'acceptait pas ce Fignon et ses phrases de trop. Il méprisait la morgue de qui ne casse pas le bois.

Quand je prends mon strapontin à *L'Équipe*, Tapie a récupéré Hinault blessé au genou à un prix d'achat assez bas, comme on achète une carcasse sur le remblai. Hinault commet le paradoxe d'advenir au grandiose sous la couleur d'entreprises en difficulté.

Le cyclisme accède à l'ère du vent.

Un glissement frauduleux s'opère dans les coursives de l'exploit. Hinault ne s'accepte plus en vainqueur : il devient un *gagneur*, certifié par Tapie. Celui qui parlait peu se grise à l'abécédaire de l'autre Nanard, roi des marchands. Il n'est plus question de victoire, mais de *gagne*. Il n'y a plus de vaincus, mais des êtres en faillite, des enfants non rentables régurgités par le marché.

Je me souviens de ces jours d'idiotie. Je me souviens du soir où j'arrive à *L'Équipe*, un pamphlet contre Tapie sous le bras. Je n'en ai plus copie – l'essentiel était dit et le pire circonscrit de ce qui advint en quelques saisons. Mon pamphlet tombe à plat et file au panier. Un puceau pigiste ne peut tisonner le maître d'âme. La France devient un pays de battants ; politiques et gens de presse lisent aux lèvres de Raspoutine. L'arnaque est établie d'une nation sans prolétaires ni paysans : l'énorme classe moyenne mêle sa salive au patronat. La moindre ablette récitant son Tapie s'imagine monsieur Ventre.

Je voulais vivre un *revival* de Coppi.

La farce débute sous mes yeux. Les échappées du blaireau deviennent symboles du risque *entreprenarial* ; ses coups de gueule, les signaux d'un *management* réfléchi. Ses actions de force appellent au développement raisonné de l'actionnariat. Hinault accomplit des prouesses, magnifiant les fadaises d'un filou – dans le temps où Mitterrand croque le parti du prolétariat.

Imagine-t-on Fausto Coppi dédiant ses envols à la personne de Berlusconi ?

Le cyclisme chaloupe aux matins de l'argent flottant. La classe moyenne se croit l'invitée d'un festin ; bafouillant les crétineries entendues à la télévision, elle troque le joug ancien contre l'esclavage nouveau. Hinault abandonne les axiomes de Guimard, basculant du scientisme au volontarisme bidouillé par les grands patrons. Hinault laisse la tunique Renault aux couleur du frelon ; il passe le maillot La Vie claire couplé aux quadratures de Mondrian. Fonctionnalisme muet. Formalisme mystique. Hinault finit ses œuvres sur un nuage de transparence. Il se voit l'homogène d'un bonimenteur ; lui seul est l'ami du droit. Tapie fait profit de lui comme du reste ; les déchaînements paganiques du champion servent les tours d'un profiteur. La nature exceptionnelle du Breton, à l'occurrence d'une par demi-siècle, anoblit l'aboyeur.

Hinault a été conçu par Zeus ; ses déchaînements de foudre sont certifiés par Vulcain. Bernard Tapie fait écrire ses chansons par Didier Barbelivien. J'ai honte à prononcer ces noms dans un livre d'amour.

Hinault fut l'occasion de mon premier et dernier reportage. Reporter premier échelon, je partis suivre les cinq dernières semaines de sa vie de coureur. Nous fîmes le tour de la côte ouest des États-Unis. Le voyage prenait fin au soir du championnat du monde. Hinault voulait le sceptre et la quille dans son dernier après-midi.

Je n'aurai débuté à *L'Équipe* que pour voir cette fin. Jamais Hinault ne fut si beau. Il faut bien parler de perfection. Sécheresse des muscles. Visage repris de Géricault. Hinault sec et bronzé sous le ciel du Colorado. La pédalée puissante, légère enfin. Haut sur la selle, effleurant le guidon, admirant les canyons sans voir ses ennemis. Le regard paisible de l'homme sur la somme de ses talents.

Je suivais son vélo dans un pick-up débâché, à la merci du soleil californien. Les organisateurs de la course avaient laissé à mes pieds une glacière remplie de bière. Trois semaines passèrent : Hinault s'écrivait seul sans que ma Japy ajoutât. Je sautais du pick-up rouge comme un Indien. Je devais suivre Hinault partout, dire ses gestes. Qu'il louât une suite dans un gratte-ciel de San Francisco, je prenais la chambre d'à côté. J'installai mon clavier contre le brouillard des derniers étages. J'écrivis qu'Hinault venait de prendre l'ascenseur en cuissard. Je fis la description du marbre sous ses semelles cambrées et du liftier entouré de ses roues.

Le matin, je donnai la pièce à un motard pour suivre Hinault pendant le prologue. Hinault escalada Telegraph Hill à la vitesse d'une Malagutti. Des femmes allongées sur le bitume hurlèrent qu'elles l'aimaient. J'avais cette fierté de mettre les derniers mots sur ses dernières actions.

Nous traversâmes l'Amérique. Passant les Rocheuses. Un village de forêt appelé Coyotte-Ville. Course-tourniquet entre les casinos de Reno. Haut-parleurs perpétuant la cascade d'un tiroir-caisse. Bûcherons saluant la course une tronçonneuse à bout de bras.

Hinault se vengea de LeMond en le battant sur ses rochers, sous ses néons. Frères obligés sous les doigts de Tapie, ennemis jurés sous la main de Dieu.

J'étais le témoin d'une conclusion sereine. Hinault sur sa fin montrait un visage de paix. Je ne reconnaissais plus le serpent que je voulais venger. Hinault roulait plus fort qu'autrefois ; il se revancha de LeMond, mais n'avait plus l'incise dans les yeux. Tapie le charmeur avait vidé son venin. C'est ce que je pensais.

Jusqu'à cette nuit.

Nous partagions le même motel. Tout le monde dormait, mécanos, soigneurs et équipiers. Je traînais près de la piscine. J'observais le ciel. Je partis me coucher. La porte de l'ascenseur s'ouvrit devant moi, effrayant spectacle : sous le lamparo zénithal, dos collé à la paroi, Hinault furieux palpitait debout, totémique dans la couleur du sang. Hinault rouge et en rage, comme aux jours primitifs. Orbites à vif et les mâchoires soudées. Granitique et ferreux, mon bel Hinault revenu au cycle de la conception.

Comme je l'appris plus tard, Hinault arrivait de la chambre de LeMond. Il avait manqué de le tuer, de l'accrocher à l'armoire, invectivant parmi les maillots à sécher, promettant le feu pour l'étape du matin. Il reprenait pour moi la façon d'homme des bois : ma carrière de chroniqueur débutant s'acheva sur cette illusion.

La veille du championnat du monde, alors que tous ses rivaux laissaient leurs chairs sur le canapé, Hinault décida d'aller voir les bisons. Il passa l'enclos et traversa le champ. Laissant ses jambes nues aux insectes fous. Nul n'osa le freiner. Il avait entendu qu'on immobilise la bête de deux doigts dans le nez.

Hinault revenait au vieux fond gaélique. Soufflant la colère par les naseaux. J'étais heureux. Hinault revenait à sa frénésie d'écorceur de tronc ; j'avais vu le retour de sang – sa chouannerie demeurée instinctuelle, le bruit terrible du sanglier. Je n'avais plus rien à espérer des petits cataclysmes du peloton. Hinault prit sa retraite : je donnai ma démission.

Hinault fut le dernier coureur d'ardeur véritable. L'exemple d'une surnature. La dernière justification du cyclisme comme exception. Il portait au cœur le *thumos* de Platon et Homère – cette impétuosité de l'âme. J'eus la certitude, dans la cage d'ascenseur des Rocheuses, qu'Hinault ne serait jamais de l'affreux troupeau où on avait cru le mêler. Ardeur et colère – ce tremblement violent qu'attisent l'indignation et l'attente du combat.

Les vertus sauvages déclinèrent avec lui. Ses suivants usèrent d'artifices ; ils voulurent la puissance qu'Hinault avait reçue des druides. Ils prolongèrent ses pires, ses vices de contremaître, son arrogance de négrier. Aucun n'eut ses beaux sourires, ses embardées folles, ni l'idée de défier la neige ou de casser le bois.

L'histoire du cyclisme s'arrête avec lui. J'en reste à l'ultime récit de qui n'aimait pas les mots. Après Hinault s'écoule un présent qui ne passe plus. Ses suivants s'effacent déjà.

Hinault continue le fermage sur le socle breton. Il soulève les stères l'hiver. L'été, il fait la remise des bouquets et le serrage des mains à l'arrivée du Tour.

Ce qu'Anquetil, Merckx ou Coppi n'auraient jamais fait.

Hinault a été repris par le milieu, absorbé aux banalités médianes du monde médian. Il survit dans l'univers moyen qui était son danger. Banalisé par le protocole, saluant des champions qui ne l'égalent pas.

MAINS D'OR

C'était un masseur d'exception, un soigneur efficace. On l'appelait «Mains d'or», parfois «le Dynamiteur». Il catalysait des faiblards et cramait des champions, parfois l'inverse. Il avait une réputation. Il essayait sur lui ses préparations, se chronométrant sur un parcours de cinq kilomètres tracé à travers Bruay-sur-l'Escault. Un soir, en pleine obscurité, comme il vérifiait l'acuité d'un mélange inédit, il ne se sentit pas faiblir. Montre en main, il suivait la ligne du tramway qui passait sur le trottoir, en bas de chez lui. Il entendit la cloche quand le tramway passa sur lui. Il allait dans la cinquantaine, semi-chauve, tous le fuyant le jour, tous l'approchant la nuit. Le jour de son enterrement, une moitié des coureurs éplorés entoura la veuve, l'autre moitié patrouilla le domicile du mort, vidant les tiroirs, auscultant les planchers, dans l'espoir d'un fourniment secret, d'ultimes fioles.

Il connaissait des chimies.

Qui donnèrent des jambes deux saisons après.

LE QUARTIER DE LA GARE

Le train pour Clermont. Mondes étroits, glycines, volets clos, je passe les villes morfondues, l'intérieur français. Je lis les questions sues par cœur sur Anquetil et Coppi.

Pourquoi ai-je toujours eu peur de Geminiani? Autant que Chany, deux autorités – l'un et l'autre confidents de Coppi et d'Anquetil les vacanciers.

Gem m'a dit d'attendre devant la gare. Le ciel est gris absolument fondu aux bâtiments – inamovible somnolence, crépis ciment, la façon grise. J'arrive au matin dans une ville dévastée : les hôtels vides, la suie du volcan, le bistrot où l'on pressent que tout est mauvais. Gem arrive de l'autre côté, il ne m'a pas vu. Plus large qu'autrefois, le cheveu sombre lissé à l'eau. Il semble moins grand. Il ne me reconnaît pas, puis vaguement ; maintenant que tu le dis : c'est que j'étais dans le bureau de Chany – au recoin sombre, mais j'y étais.

Dans la Fiat blanche, je donne ma raison : je fais un livre. Gem en a vu, des pas inspirés, des paresseux descendus à lui dans un bâillement, empressés à tout noter, des avaleurs de mots ; je suis l'un de plus. L'urgence est de savoir où l'on va manger. Courbé sur le volant, dans la ville en morceaux, Gem cherche l'empreinte du tramway. Nous voiturons au cadastre perdu, parmi les immeubles en démolition.

Verticaux au comptoir de la brasserie. Gem fait le point avec le patron sur les vivants et les morts, le pote fracassé au Viagra pour rivaliser les amants.

Je suis au pays de Geminiani.

Je suis arrivé trop tôt pour que Gem ait pu faire son jardin. Je sais qu'il ne va pas déballer de suite sur Anquetil et Fausto, au débotté, à jeun, dans la précision du matin. N'entre pas qui veut dans la vieillesse du temps. Il y faut le climat, un fond d'anis, le velouté.

Gem se réveille. Gem monte en sucre, pas l'once d'un essoufflement : quatre-vingts ans. Il parlemente entre les manettes à bière et *La Montagne* du jour. Le coude glisse sur le zinc. Les mots articulent le mouvement des mains. Le patron remet ça. Ils parlent leurs vies, ils parlent maintenant de moi comme si je n'étais pas là. Le Parisien.

Trois demis au ventre. Je n'ai plus soif. Gem décide de prendre table et de commander. Je n'ai plus de voix. J'ai oublié les questions et pourquoi je suis là. Gem ordonne deux assiettes à trois cents grammes de foie de veau.

J'attaque sur Anquetil. Dans le genre cave exalté, avec le petit Sony et le bloc Rhodia, je suis adéquat. Mes questions sombrent dans les aigus de fourchettes. Gem n'écoute pas. L'amener sur l'infra précis des légendes, entre les bouchées. Mes paroles glissent sous la banquette. Gem règle la vitesse. Mieux saturé, il annule le brouhaha dans une stase d'apaisement.

«Tant que tu ne sais pas comment Jacques préparait un contre-la-montre, tu ne sais rien.»

Gem a ouvert le livre, enfin. C'est parti. Gomme laque sur les jantes légères. Boyaux séchés dans la nuit pleine. Le radiesthésiste cité Bergère. Les journaux brûlés pour pister le vent. Anquetil sous mes yeux, ses cheveux crantés, ses jambes tiédies en baignoire avant le déchaînement.

Toutes bizarreries jamais entendues.

De l'infime détail au vaste trait.

Gem ressert en vin. Je ne bois plus. Gem a fini ses fromages. Gem a fini le vin. Gem tient la lame brûlante dans le fourreau : souvenir-douleur, souvenir-effusion : Coppi était mon maître, Jacques mon ami.

Gem est heureux, seul au monde, à redire ses extraordinaires.

Au centre de la France, au centre de Clermont, au centre de la brasserie, au centre de notre table, il y a les mains de Gem, ses avant-bras sur la nappe blanche : un espace invisible – le cœur de mon livre, ce bref moment où Coppi et Anquetil ébauchent une poétique.

En Gem voyagent les héros. Les images naissent – la vision des corps est la preuve du chroniqueur. Ces régions prismatiques où rêve et réalité contusionnent. En Gem coagulent un tiers de pastis, un tiers écrivain, un tiers de produits locaux. En Gem survit la preuve d'une littérature inséparable du sang.

La ville morte, qui fut ville noire prolétaire, se plaît aux rocades et aux bureaux de verre. Dans la petite brasserie naît la vie absente des rues. Par la voix de

Gem, dans la petite brasserie d'une ville entre deux temps, surgissent les champions – mes braques, mes narvalos.

Devant les crèmes brûlées, Raphaël met le phono sur son morceau préféré ; celui qu'il raconte et féconde, immuable, depuis quarante ans. Le jour qu'Anquetil sans dormir enchaîna les deux mille kilomètres du Dauphiné aux six cents de Bordeaux-Paris. Gem en a donné la plus belle version dans un film-mémorial en l'honneur d'Anquetil.

À sa façon d'amorcer la boucle, de passer la main sur les miettes de pain, je sais que Gem va poser l'aiguille dans le vieux sillon. La serveuse apporte les cafés, la bouteille de fine. Gem part de la nuit ; il part de la pluie ; Anquetil gagne le Dauphiné : il sort épuisé des montagnes : il est maigre et blanc.

Geminiani Raphaël raconte le plus grand exploit de l'histoire du cycle.

Je ne note rien. Ces mots ne sont pas pour moi. Gem est absorbé dans ses profondeurs, tortillé dans son feu. Nous quittons la nuit, Anquetil pénètre le matin mourant. Il abandonne, il refuse le défi – cette folie de Gem, son œuvre démente. Gem redit comme il insulte Anquetil et le remet en mouvement. Gem dit ses manœuvres, comme en cette nuit il actionna le temps ; il dit Anquetil courbé derrière la moto-cyclette au bruit de frelon. Gem refait pour moi le bruit du moteur poussé à son extrémité. « Rrroooaaa… rrrroooaaa… » Gem tire sur une corde fictive – haleur de la Volga. Il sort son ami du puits. Anquetil ressuscite, lancé sur Paris dans un tournoiement de vent.

J'ai envie de pleurer.

Gem me dépose à la gare prise toujours dans l'étau de laideur. Il est tard. J'attends sur le quai, entre coma et stupeur, aplani par l'alcool, bondé de pâtes molles ; je vérifie : mes notes sont là.

Les paroles en vrac flottent au cerveau.

Je m'endors face à deux échalas qui montent aux universités.

Les prolongés

Le cyclisme fait asile pour les experts en longévité. La lutte y est terrible, mais on y lutte assis. C'est un exercice ouvert à toutes les classes d'âge. La maturité arrive dans la trentaine – quand la jeunesse part. C'est un sport à fermentation lente – on s'y hausse encore quand la pente descend.

Gino Bartali était extraordinaire en 1938 quand il gagna le Tour de France. Il devint grandiose en le gagnant dix ans plus tard, malgré la guerre et les privations. Il fumait une gauloise après la victoire. Il aimait le chianti. Il ne faisait rien pour se rallonger. En 1959, il était toujours là. Il promenait un peloton d'enfants.

Rik Van Steenbergen était un Hercule Farnèse jovial. Il gagna tous les sprints sur route et piste entre 1943 et 1966. Il tua sous lui nombre de vélos dont l'existence ne passait pas deux mois.

Benoît Faure paradait toujours en 1943, après vingt ans de carrière. Il avait 43 ans. Il avait couru pendant la guerre comme si de rien n'était. Il s'illustra simultanément en zone libre et en zone occupée. Ses dernières années comptent double.

Raymond Poulidor à ses débuts connut Fausto Coppi à sa fin. Puis il croisa Jacques Anquetil, qui le rendit célèbre en l'humiliant. Quand Anquetil passa la main, Poulidor espérait un sacre. Merckx arriva et ne laissa rien sous ses roues. Poulidor allait sur les quarante ans ; il connut la crise de l'adolescence : il voulait exister. Il mit Merckx à terre dans Paris-Nice, le poussa à bout dans le Tour de France. Pour le ramener au calme, le Belge écourta sa propre vie de plusieurs saisons. Poulidor termina troisième du Tour, la quarantaine passée. Il avait digéré les recettes de vie d'Antonin Magne, ces sagesses résinées, à la jonction du croquant et du séminariste. Quand Hinault prit le pouvoir, peu avant la mort d'Antonin, Poulidor était toujours là. Il cherchait une brèche. Il avait 41 ans. Blondin trouva le mot de sa fin : le quadragêneur.

Il faut mesurer ces extensions. Passé trente ans, le cycliste le sait, les pédales fondent, la mort vient. Louis Caput l'avoua dans un pincement : « J'avais 33 ans, je commençais à aborder la dégoulinante. »

En 1948, Benoît Faure réalisait une échappée de 594 kilomètres dans Paris-Brest et retour.

Il avait 49 ans.

En 1920, Eugène Christophe gagnait Bordeaux-Paris. Il avait parcouru les 592 kilomètres d'une traite, en 21h 33m 15s. Il pénétra dans l'enceinte du vélodrome d'Hiver, rue Nélaton, vers 16h30. Il avait 35 ans. On l'appelait le « Vieux Gaulois ». Ce jour-là, un coureur arriva à 3h30 du matin, onze heures après le « Vieux Gaulois ». Il s'appelait Desvages et roulait sur une machine fabriquée de ses mains.

Il avait 53 ans.

Jean Alavoine, le luron tchatcheur des temps héroïques, naquit en 1888 ; il décéda sur le vélo, mains au guidon, en 1943, dans une épreuve de vétérans.

Il avait 55 ans.

Piet Van Kempen fut le plus grand coureur de Six-Jours de l'entre-deux-guerres. Le Hollandais avait passé plusieurs années de sa vie sous les chapiteaux enfumés, buvant des élixirs, respirant des éthers. Il tenta un come-back en 1955. Il sortit de la penderie deux cuissards et le peignoir armorié.

Il avait 57 ans.

Ces hommes déjà sur l'âge sont les victimes d'un étirement de temps. Ces champions prolongés survivent dans l'innocence d'une quarantaine devenue translucide. Les braqueurs devenus vieux décrètent toujours c'est la dernière, écoute-moi Jeanne, c'est le dernier casse et on file sur l'Argentine. Mais ils sont toujours là. Ils gardent le pied dans l'eau et la blessure dans l'iode. Ils ne s'endorment s'ils n'ont secoué leurs six heures de métal. Ce sont des cerfs cicatrisés. Ils ne retourneront pas à la maison où attend une femme vieille comme eux. Leurs bois sont devenus trop lourds pour peser sur un canapé.

La véritable histoire du dopage

Geminiani rumine le dopage nouveau ; il compare depuis des années, il fulmine, il passe les hallucinations récentes au crible des anciennes : il devient fou. Il a décidé d'écrire l'histoire véritable du dopage. Tout dire. Qu'on n'en parle plus. Gem a besoin d'un scribe pour le premier jet ; il mettra la patte au second : jars joyeux, griffe et soie. Je ne peux qu'imaginer. Cent cinquante ans de dopage par Geminiani ! *Ab initio seculi usque ad finem.* La fresque infernale, la tapisserie de Bayeux des injectés, d'avant Maurice Garin jusqu'aujourd'hui.

Je rêvais l'opus précieux sur Fausto Coppi, l'édition testamentaire à tirage limité.

Je ne peux rien refuser à l'ami de Fausto. J'ai repris le train pour Clermont. C'est le lundi de Pentecôte. Il fait si beau que Gem me décale d'une demi-journée. Il veut finir son jardin, arroser le verger, irriguer les laitues. Me voilà permissionnaire jusqu'au début d'après-midi. Je prends la route des monts gaulois. Je m'allonge dans l'herbe sur les hauteurs de Gergovie.

Gem pense qu'en trois jours ce sera bouclé. Je ne suis pas féru indic, ni bon informé des usages. Le dopage n'est pas mon sujet. Je suis arrivé à *L'Équipe* en *tifoso* niais, Simpson à l'esprit, immolé sur la caillasse du Ventoux. J'ai appris. Les journaux ont parlé. Mais ils sont en deçà. Il y a le diplôme véritable, chroniqueur cycliste – c'est le certificat. Et il y a le bachot parallèle, les rumeurs collectées au hasard, les anecdotes qu'on tait, l'occulte savoir, émanations au soufre – le diplôme qu'on ne montre pas. Gem veut unifier les barèmes des académies.

L'injustice explique ses nerfs. La dérive du dopage est telle que Coppi ou Anquetil auraient été balayés. La technoscience désavantage les surnatures et les vif-argent, dont l'avance naturelle est rognée ; elle sert les corps médians qui peuvent devenir doubles et triples et sont à même de tout digérer. Gem veut justice : le cyclisme doit révéler les surnatures, c'est sa vérité. Gem méprise les surhommes élaborés entre des murs blancs.

Allongé sur le socle hercynien, sur le cœur de la France, les omoplates sur le volcan mort, je sens monter en moi l'angoisse d'une désillusion. À tout dévoiler, Gem peut m'anéantir. J'avance vers la buvette, les vieux descendus des autobus visitent Vercingétorix à la cordée. Sur l'éventaire de cartes postales, il faut choisir entre la vue des puys, la recette au chou et les faux Gaulois exagérés de casques à cornes et de moustaches à la glu. La farce des origines.

Le cyclisme né en France, la France repliée en son centre, où César avait rompu, dans cette zone lémovico-arverne où Anquetil et Poulidor s'étaient coudoyés, le cyclisme est cette farce des origines, le lieu d'une falsification goguenarde dont personne n'est dupe, dont nul ne peut se passer.

Depuis mon belvédère, j'observe la zone pavillonnaire ininterrompue qui relie Clermont à Pérignat-

287

sur-Allier. Je descends sur la plaine. Une grande maison basse ouverte sur des fruitiers. Dans le salon, les photos immenses de Coppi et de Bartali, Anquetil et Rivière. On s'installe à la table de la cuisine. Gem a disposé devant moi ses notes et ses plans – un énorme bloc vert et violet marqué «Carré d'as». Gem a écrit une cinquantaine de pages. La cafetière fume. Le magnéto tourne.

C'est l'après-guerre. Gem part de ses débuts. Il fait charnière entre les cinquante premières années et les soixante ans qui mènent au désormais. Pélissier, les œufs à la strychnine. La kola Astier. La Liqueur de Fuller. L'Orthédrine. Le Maxiton. Les pastilles dont on poisse la langue. Les seringues enfoncées à travers le coton. Les gommettes inversées sur les flacons. Je vois défiler les appellations chimiques, des dizaines de visages, les sorciers d'une autre nuit : des soigneurs en peignoir taché et chaussons calorifuges. Des destins taillés au couteau de berger.

J'ai devant moi les cassettes de ces jours auvergnats. Qui forment l'épopée d'un homme qui a vu et vécu au péril, qui peut dire et juger. Ce qu'il a *vraiement veu et oy*, entre le c'est pas d'hier et le *moult grant temps*. Je me souviens de ces jours et de ce livre sur le dopage qu'on ne fera jamais.

Le premier jour, avant le soir, Raphaël a sorti le pastis. Je ne suis plus capable de faire la synthèse de ce que j'ai entendu. Je laisse courir le magnéto. Le lendemain matin, je sens qu'on s'éloigne du sujet. Gem sort le champagne du froid, peu avant midi. Je tire sur le gouvernail. Gem dévie sur un autre chapitre – Michelet prétendant révéler les secrets de la royauté et replongeant aux détails du peuple de France.

Surgissent les fantômes et les disparus de l'histoire du vélo. La bouteille de champagne est vide. Un peuple d'ombres s'agite dans la transparence. Mes oreilles se découpent sur l'écran des actualités Pathé.

Le temps lentement bouge autour de nous.

En deux jours et dix heures d'épopée orale non fabulée, Geminiani s'est ému lui-même au souvenir des ans, au bord des larmes à parler encore de Gino et Fausto, de Rivière mourant. Il a changé d'avis, il me l'avoue. Il peut bien dire les frasques des seconds couteaux, l'histoire parallèle des dopages foirés, mon magnéto est plein de coups d'épée dans l'eau ; il ne dira rien qui puisse voiler les grands moments dont il fut témoin.

Je suis déçu, vexé un peu. Me suis transformé en avaleur de couleuvres, en buveur d'amers. Gem a cru m'enfumer ; s'enfumant lui-même, il s'est rétracté. Nous ne ferons pas un livre scandaleux. C'est tant mieux. C'était son idée. À entendre ces cassettes marquées de « Gem 1 » à « Gem 5 », je n'en veux pas à Raphaël. S'y confirme la vérité d'un dopage lié à la naissance du cyclisme, à ses extravagances ; s'y confirme des exploits qui, jusqu'à cette fin de siècle, étaient la signature d'êtres surnaturels vérifiés.

À vouloir faire l'histoire de l'infamie et de l'éternité, en voulant tout dire et tout masquer, Geminiani a augmenté l'aura des champions précédents. Il a confirmé le cyclisme comme théorème du forcené – d'homme aux lisières de la force et de la raison.

Les dopages étaient dérisoires, les exploits énormes. Que penser de ce dopage devenu énorme, de ces exploits dérisoires ? Que penser de ces nouveaux champions longs à élaborer, aussi lents que l'orme à pousser, quand Merckx et Anquetil venaient à plénitude aussi vite que le peuplier argenté?

J'attendais que Gem dissocie le dopage intensifiant, les stimulants, qui sont d'ordre nerveux, mental, et le dopage transmutant fondé sur la modification viscérale, le dévoiement des organes.

Le dopage primitif est de nature icarienne. C'est une rehausse psychique, une ivresse, une exaltation – c'est une variété forte du dionysiaque. On y risque l'écroulement.

Les protocoles récents instaurés par les corticoïdes puis les modifications sanguines et génétiques dessinent une approche froide; les dopés contemporains montrent des visages d'indifférence, ils ne suent pas, n'ouvrent plus la bouche, ils ont le front propre, ils n'ont pas ce visage de folie et de possession. Les usages récents sont le syndrome apollinien d'une falsification descendue aux entrailles, rate et gésier compris. Les surfaces et les épidermes sont de marbre italien. Ces coursiers ne s'effondrent jamais. Ils ne risquent rien.

Le cyclisme aboutit à l'homme-machine de René Descartes et à la systémique issue de lui. La génétique est l'ultime dévoilement de l'ontologie.

Gem veut la fin du dopage organique. On appelle holométaboles les insectes et papillons à métamorphose complète. Raphaël veut la fin de cette course aux lisières de l'extra-humain. Gem veut sauver le cyclisme. C'est sa vie. Je ne lui dis pas ma conclusion. Il est l'évangéliste rayonnant; je suis le disciple désespéré. Je ne lui dis pas que mon livre est son hommage et le culte de ses amis. Que tout se clôt sur eux.

Nous sommes debout dans le salon. Nous savons que la véritable histoire du dopage ne se fera jamais. Nous feuilletons un *Miroir Sprint*. Gem parle de Coppi – comme si tout partait de lui et finissait à lui. Je ne lui ai rien dit de mon rêve névrotique – il ne sait pas son existence somnambule aux méandres de mon cerveau – quand il me tend le bidon de Coppi.

Je suis rentré à Paris par le train qui s'arrête partout.

Geminiani m'a donné une laitue repiquée et arrosée par lui.

À L'ABANDON

Le 2 janvier 1960, Fausto Coppi disparaît. Les moustiques de Haute-Volta ont eu raison du champion le plus beau. Raphaël Geminiani a survécu aux mêmes piqûres, reçues la même nuit, dans la même chambre d'une maison de Ouagadougou. Geminiani a pu être sauvé ; il survit dans un habit de coureur qui ne colle plus à la peau.

C'est l'été.

Fausto ne reviendra pas.

Le 30 mai 1960, Geminiani s'allonge dans l'herbe.

Sa carcasse ne répond pas.

C'est fini.

La selle du vélo appuie sur un tronc.

Raphaël n'est plus coureur.

Gem n'abandonne pas.

Ses membres vides réclament un désistement.

Le cœur plie.

Gem s'allonge sous un arbre.

Il choisit un segment d'univers qui suffit.

Un plat d'herbe assorti d'un muret.

Un numéro brille sur le cadre chromé – le 102.

Dans le moment où l'épiderme avoue l'ancien vernis, s'écaille la force vive.

Le nom fameux de Geminiani est écrit en gros sur le maillot.

Ayant croisé son prénom à l'apéritif Saint-Raphaël, Geminiani augmente sa poitrine de l'étrange mot « quinquina ».

Son corps chargé de lettrages fait enseigne sur le chemin.

Gem cherche la preuve au loin d'une course où il existait dix minutes plus tôt.

Depuis le sol immobile, le coureur vieilli observe la vitesse du monde.

L'arbre disperse sur ses abatis une alternance de lumière et d'ombre.

Le ciel brûle son genou.

Les fourmis approchent son mollet.

Fossé où le lutteur s'écroule.

Muret sur quoi reposent les saisons.

Gem relève le détail des choses.

La tectonique des graviers.

La profusion des ronces.

Tout vient à portée.

L'œil se meut à la place des jambes.

À livre ouvert, le bruissement du vent.

Un fourbi de culasses, à deux collines de là.

Geminiani s'éveille au bourdonnement de la voiture-balai.

Le lutteur évanoui revient à lui.

Il écoute son sang.

Il plante un doigt dans son oreille.

Il explore son nez.

Les fourmis charrient des brindilles sur le remblai des veines épaisses.

Un lacis d'empreintes roses couve sous la cuisse.

Une épine passe la fibre du cuissard.

L'apprenti déserteur pose un scarabée sur le plat de son gant.

Il enlève sa montre et se lève pour pisser.

Larmes de résine sur l'écaille des pins.

Les ruses phréatiques de l'urine entre les chaussures trouées.

Gem s'allonge au même lieu.

Il écarte les cailloux.

Gem ne veut pas partir.

Étourdi de pollens, il ne peut plus se lever.

Il jette sous les ronces ses pastilles de sel.

Gem repense à Fausto. Cheveux au vent, sur la mouvance d'arômes élastiques, il devient l'hôte du paysage, la justification des oiseaux.

La fin du cycle

J'écris ce livre depuis un très-peu : mes tentatives cyclistes de cinquième rang, les quelques courses suivies dans la mouvance des champions. Enseigné au flair, au hasard, dans une pénombre d'ouvrages achetés en solde, jamais réédités.

Cette passion plus vivace qu'un souvenir de femme. J'écris mon obsession. J'ai usé mes yeux contre trop de photos. Tant de lectures pour ces lubies d'Eurovision. Idoles au crépuscule. Agglomérats de papiers. Je compulse dans le demi-jour. Un monde sous mes yeux se récapitule.

Si j'avais étudié la Torah aussi assidûment que le vélo, je serais hassidim respecté. Au lieu de quoi, je suis devenu l'érudit de détails pour rien. J'ai placé ma lyrique sur l'air désuet. J'ai fait une opérette avec des bouts de héros.

Jarry a donné le secret. « L'émotion esthétique de la vitesse dans le soleil et la lumière. »

Je suis demeuré fidèle aux prémisses de l'évasion.

La pollution, la réquisition des sols, le passage aux mondes gazeux virtuels étouffent le cyclisme dans son dialogue avec les éléments. Duels contre la pesanteur.

Défis rabelaisiens contre *l'empeschement des desers, et objection des montaignes.* Affrontements au vent, à la pluie, au froid – héroïsme pour rien : la nature indomptée a perdu son nom. C'est la fin d'Ulysse, c'est la fin du voyage – l'*homo viator* décédé. Fin de cette folie dont les cyclistes étaient les frontaliers. Le cyclisme a été ce supplément, cette dérive aux confins – Quichotte resurgi aux tréteaux de la démocratie. Coppi est le spectacle unique, le héros solitaire des gens du bas – l'ange indubitable sur quoi mes pluriels s'effondrent.

Le roman de chevalerie ne se vend plus. La religion populaire qu'était le cyclisme s'est éventée. Mercuriales de parias devenus glorieux : la grammaire du courage s'écroule sous le vent. On enlève l'estrade, guirlandes et microphone. C'est la fin du bal chez Temporel, quand on faisait pleurer les filles en racontant *Jésus la Caille* et le sacrifice de Vietto. C'est l'arrêt des chroniques flamboyantes – des noblesses fantasmées.

Le cyclisme n'était pas un sport : il disait l'invariant de l'homme plein d'ardeur dans le noir – sa nature sans excipient.

Je téléphone à Jean Fréchaut, le descendeur de l'avant-guerre. Il vit au pied du col de Vence. Ses pétitions ont eu raison des politiciens : la montagne est restée pure du ravage immobilier. Depuis sa fenêtre, sous le vernis d'un crocodile empaillé, il voit le ciel tourner sur des roches et des pins survivant par la grâce de ses signatures. Jean approche les cent ans. Il parle des montagnes franchies dans les Tours anciens, quand il portait des cuissards lâches au genou. Soudé à l'écouteur, dans la nuit de Paris, j'ai la tempe en eau.

297

Ces épreuves de peur.

Ces épouvantements.

Sorti à cent à l'heure des tunnels du Lautaret.

Aux yeux des fragments de nuit, au coude un goudron de sang.

Malade à boire l'eau de fonte des glaciers.

Lavé au parfum des menthes sylvestres.

Fréchaut dit pour la sixième fois l'ascension du col de l'Iseran dans le Tour de France 1937, *là où il mist son cors en avanture de mort.* Les coureurs ascensionnent dans le nuage qui foudroie. Ils percent à l'aveugle la blancheur froide électrique.

Éclairs au loin qu'on ne voit pas.

Étincelles sur les poignées d'acier.

Grésillement dans les cheveux.

Comme brins de laine, flammèches ivres sur le guidon.

Poils dressés.

Mains gelées.

Givre sur les sourcils.

Que cherchais-tu dans les montagnes ?

Qu'as-tu trouvé qui fasse écho ?

L'esprit de la terre.

*

Tout va finir en récits de colporteurs. En fables miraculaires. Sur un cahier d'enfant à barres marginales roses. J'ai voulu opérer la translation des reliques, protéger l'épisode des barbaries. J'écris un livre né vieux, vendu en l'état – utérin et déjà bibliophilique – avec «infimes rousseurs sur la couverture».

Laudator temporis acti. J'ai fait le louangeur du temps passé. J'ai fait le montreur d'ours.

Qui furent ces fantômes?

Quand Chany vit apparaître Anquetil dans ses dix-neuf ans, il sut qu'il n'avait pas devant lui un humain.

«Il n'avait pas d'apparence.»

Je laisse le cyclisme à ses factionnaires, ses contre-facteurs. Qui ne mettent pas le holà; que le système a supplantés. Tout est permis, les mensonges, les profits, toutes les infusions. Je les laisse dans le monde faux. Demi-fous sous prétexte de juillet.

Le cyclisme était l'intime de l'écriture; les écrivains se nouaient à lui dans une course à fleur de peau; les champions s'animaient au mouvement cursif d'un stylo.

Aux dosages terribles, le dopage empêche toute littérature – le verbe se délie du corps véridique.

Stéphane Mallarmé a écrit sur le cyclisme naissant : «L'être humain ne s'approche pas impunément d'un mécanisme et ne s'y mêle sans perte.»

Le cyclisme disparaît avec la simplicité du paysan qui s'éloigne en disant salut bien.

Je n'ai plus la télévision. Je descends l'avenue du Maine jusqu'au magasin Darty. Le Tour de France passe en simultané sur plus de trente écrans. Se retrouvent là tous les plumés, les sous-équipés de l'électroménager. Retraités dans la débine. Clochards amoureux des paysages. Vagabonds difficiles à divertir. Employés sortis tôt.

Nous formons une troupe insoumise à la redevance. Quelques-uns sentent mauvais. Nous avons vu naître ensemble le dopage sanguin. L'un après l'autre, nous faisons le commentaire. Nous ne sommes pas pires qu'à la télévision. Nous avons notre idée.

Il y a quelques étés, Darty nous a mis dehors. Sans vague, sans effusion. Ils ont zappé le Tour et programmé les séries de l'après-midi. Un vieux en polo Lepoutre serré jusqu'à la glotte est sorti avec moi le dernier. Il a juste dit les cons. Les autres se sont éloignés sur l'avenue. Je suis rentré à pied.

Remerciements à Lucien Aimar, Janine Anquetil, Jacques Augendre, Guy Benat, Marcel Benyahia le légaliste de la rue Jeanne-d'Arc, Michel Billaux, Jean Bobet, Éric Boyer, Albert Bouvet, Pierre Brasier pour l'adjectif «carbonifère», Guy Caput, Pierre Cazaut, Pierre Chany, Michel Clare, Victor Cosson, Roland Darboucabe, André Darrigade, Dédé et Paulette, Guy Dedieu, Claude Degauquier, René Deruyk, Lucette Destouches, Maurice Dieulois, André Dugast, Claude Durand sous le signe d'Antonin, Robert Fabre, Valérie Fadini, Bernard Faye, Ferdinand et les chiens, Jean Fréchaut, Bernard Gauthier, Raphaël Geminiani, Joël Godaert, Roger Grenier au gage des anciens, Cyrille Guimard, Olivier Haralambon, Didier Lassiste, Serge Laget, Jacques Lambert, Claude Larcher, Jean-Marie Leblanc, Pascal Leroy, Jean-Marie Letailleur, Émile Littré, Jean-Paul Louis, Marc Madiot, Yolande et François Mahé, Jacques Marchand, Christophe Moëc, Gérard Moussy, Serge Perrault, Jean-François Puyfoulhou et Jean-Claude Renard.

Ultima verba

Me tenaille le regret d'un récit où Anquetil mieux que Roméo, de nuit sous la fenêtre d'une femme de médecin, une Janine blonde, rameuta un ami en camionnette Citroën Tube comme gaufrée ; deux hommes déguisés en égoutiers parurent sous les étoiles et enlevèrent Janine en peignoir et chaussons. Elle n'allait jamais revoir son mari et se trouva dans le fourgon avec les deux mazoutés, la main sur la main de Jacques si beau dont les yeux brillaient. Ils roulèrent jusqu'au quartier de la Madeleine. Anquetil vêtit Janine à neuf en vison et bijoux. Ils dormirent dans un hôtel de luxe, apeurés, heureux – ouvrant à deux le roman d'amoureuse forcènerie. Un complice achemina au matin une voiture rapide. Jacques emporta Janine sur la Riviera.

Imprimé en France
FRHW010342221122
32842FR00019B/540